Fantômette

et son prince

GEORGES CHAULET

Fantômette
et son prince

GEORGES CHAULET

hachette JEUNESSE

Françoise

Sérieuse et travailleuse, Françoise est une élève modèle qui se passionne pour les intrigues. Vive, pleine de bon sens et intrépide, n'aurait-elle pas toutes les qualités d'une parfaite justicière ?

Ficelle

Excentrique, Ficelle collectionne toutes sortes de choses bizarres. Malgré ses gaffes et son étourderie légendaire, elle est persuadée qu'elle arrivera un jour à arrêter les méchants et à voler la vedette à Fantômette...

Boulotte

Gourmande avant tout, elle se moque pas mal du danger... tant qu'il y a à manger !

Mlle Bigoudi

Si elle apprécie Françoise, l'institutrice s'arrache souvent les cheveux avec Ficelle et lui administre bon nombre de punitions. Que penserait-elle si elle était au courant des aventures des trois amies !?

Œil de Lynx

Reporter, il suit de près les méfaits des bandits. Il est le seul à connaître la véritable identité de Fantômette et n'hésite pas, à l'occasion, à lui filer un petit coup de main !

chapitre 1

Le Serpent Noir

Le couteau siffle dans l'air et se plante dans le tronc du chêne avec un claquement sec.

Fantômette s'approche de l'arbre, empoigne le manche du couteau. Elle doit appuyer son pied contre le tronc pour avoir la force d'arracher la lame qui s'est profondément enfoncée dans le bois.

— Bravo ! Tous mes compliments ! fait une voix.

Fantômette se retourne. Un homme vient d'entrer dans le jardin où elle s'exerce au lancement des armes blanches. De taille médiocre, plutôt bedonnant, vêtu de clair.

Son visage rond, souriant, est barré d'une petite moustache noire. Le teint bronzé indique que l'homme doit vivre sous un climat ensoleillé.

Il s'incline, une main posée sur le cœur, et prononce ces mots, avec un accent espagnol très marqué :

— Je me présente. Pedro Olivo, chef de la police du président Moscatel. J'ai sans doute l'honneur insigne d'avoir devant moi l'illustre Fantômette ?

La jeune fille ne peut réprimer un sourire. Elle répond :

— Je ne sais pas si je suis illustre, mais je suis bien Fantômette, pour vous servir.

Olivo sourit à son tour, découvrant une rangée de dents qui auraient enthousiasmé un fabricant de pâte dentifrice.

— Mademoiselle, je ne vous posais la question que pour la forme. Je vois bien à votre costume de soie jaune, à votre cape rouge et à votre masque noir que vous êtes l'incomparable Fantômette.

Sur ce, il salue de nouveau. Son interlocutrice attend patiemment qu'il veuille bien exposer le but de sa visite. Il lisse sa moustache et poursuit :

— Notre cher président Moscatel (il

8

s'incline), qui guide d'une main sûre les destinées du Panorama, a accepté de me confier une mission d'une extrême importance. Mais, avant de vous en faire part, il conviendrait que je m'assure si...

Il s'interrompt, regarde autour de lui avec méfiance.

— Mademoiselle, êtes-vous certaine que personne ne peut nous entendre ?

— Personne, non.

— Il n'y a pas quelque micro caché dans l'herbe, ou dans ce chêne ?

— Oh ! non... Ce que vous avez à me dire est donc si grave ?

— Grave ? Ah ! si vous saviez ! C'est d'une importance vitale, c'est...

Fantômette lève la main.

— Une seconde, s'il vous plaît. Avant de poursuivre cet entretien, je voudrais bien, monsieur Olivo, que vous m'expliquiez comment vous avez pu obtenir mon adresse ?

Le chef de la police du Panorama s'assoit sur un banc de bois laqué rouge et blanc, tire un mouchoir de sa poche et s'éponge le front.

— Ah ! chère mademoiselle, je conçois que cette question vous intrigue. Votre adresse ne figure sur aucun annuaire, en effet, et il n'est pas facile de vous trouver. J'y suis parvenu néanmoins grâce à ma mémoire et à ma perspicacité. Si je n'étais pas perspicace, le président Moscatel (il s'incline de nouveau) ne m'aurait pas nommé chef de sa police. Il y a quelque temps, vous vous êtes trouvée en relation avec un jeune journaliste nommé Pierre Dupont, qui signe ses articles « Œil de Lynx »…

— C'est vrai. Je me souviens qu'ensemble nous avons provoqué l'arrestation d'une bande de faux-monnayeurs[1].

— Eh bien, après beaucoup d'hésitations, il a consenti à me dire où vous habitez. Croyez que je ne vous aurais pas dérangée si des raisons extrêmement sérieuses ne me faisaient agir.

Il passe de nouveau son index sur sa moustache, jette un coup d'œil soupçonneux autour de lui et reprend :

— Mon pays, le Panorama, est donc gouverné sagement, très sagement, par le président Moscatel (encore un salut). Le président est provisoirement chef de l'État, en attendant que le prince Norberto ait atteint

1. Voir *Pas de vacances pour Fantômette*, dans la même collection.

l'âge de régner. Vous avez entendu parler du prince Norberto ?

Fantômette fait un signe affirmatif. Depuis quelques mois, des magazines ont publié de nombreux reportages sur le jeune prince qui doit bientôt monter sur le trône. Des photographies le montrent tantôt à cheval, parcourant les étendues désertiques de son pays, ou juché sur des skis nautiques, ou étudiant studieusement les mystères de l'agriculture, pour être un jour capable de gérer les richesses des terres qu'il devrait gouverner, constituées essentiellement par le coton, le café et la canne à sucre.

Oui, elle connaît de renom le prince Norberto.

— Parfait ! reprend Olivo. Le prince deviendra donc roi quand il aura atteint l'âge légal, c'est-à-dire lorsqu'il aura douze ans.

— Douze ans ! On peut être roi si jeune dans votre pays ?

— Mais oui. En France, Louis XIV est bien monté sur le trône à l'âge de cinq ans !

— Bon, bon, continuez.

Olivo caresse sa moustache et reprend :

— Or, le prince aura douze ans dans quelques jours. Déjà, on commence à préparer les fêtes du couronnement, qui apportera certainement une grande joie à tout notre peuple.

— Je m'en réjouis aussi, mais je ne vois pas très bien ce que je viens faire dans…

— Attendez, attendez ! j'y viens… Je disais donc que ce couronnement est très bien vu par tout le monde, sauf par quelques personnes…

— Lesquelles ?

Le chef de la police regarde encore une fois autour de lui avec méfiance.

— Vous êtes bien sûre que personne ne peut nous entendre ?

— Personne.

Il baisse la voix, demande :

— Avez-vous entendu parler du Serpent Noir ?

— Non. Qu'est-ce que c'est ?

— Une organisation secrète. Une sorte de parti politique clandestin qui veut tenter de prendre le pouvoir.

— Alors ?

— Alors, chère mademoiselle, le président m'a demandé de vous faire venir au Panorama.

— Pourquoi ?

— Pour empêcher l'assassinat du prince Norberto.

Un nuage passe devant le soleil, étendant son ombre sur le jardin. Fantômette cueille un brin d'herbe, le mâchonne en réfléchissant, puis dit :

— Si je comprends bien, le Serpent Noir veut supprimer le prince et gouverner à sa place ?

— Oui. C'est exactement cela. Et nous voulons empêcher ce meurtre à tout prix.

— Comment savez-vous que cette organisation secrète a formé ce projet ?

Olivo sourit.

— Je suis le chef de la police. J'ai des agents de renseignement un peu partout dans le pays. Croyez-moi, je ne parle pas à la légère.

Fantômette continue de mâchonner son brin d'herbe, les yeux rêveurs. Elle demande :

— Puisque vous êtes le chef de la police, pourquoi êtes-vous venu me chercher ? Votre personnel n'est donc pas capable de protéger le prince ?

Olivo lève les bras au ciel en soupirant.

— Hélas ! non. Ma police... on ne peut pas s'y fier. Je suis persuadé que certains des membres du Serpent Noir ont réussi à s'y glisser. Les hommes que je nommerai pour assurer la protection du prince seront peut-être ceux qui l'exécuteront ! La seule chose dont je sois absolument sûr, voyez-vous, c'est que le prince est en danger. Et je suis également sûr de vous. Je sais que vous n'irez pas glisser une bombe sous son lit.

Un léger sourire se dessine sur les lèvres de Fantômette.

— Je vous remercie pour la confiance que vous me témoignez. Ma réputation est bonne, à ce que je vois.

— Certainement, certainement. Une réputation qui n'est plus à faire. On sait que les missions dangereuses ne vous font pas peur, et je suis persuadé que vous mènerez celle-ci à bien.

— Attendez ! Je n'ai pas encore accepté.

Olivo paraît peiné.

— Comment ? Vous ne voulez pas sauver le prince Norberto ?

— Je ne demanderais pas mieux, mais j'ai en ce moment toutes sortes de choses à faire. Le bandit qui se nomme Pimlico vient de s'évader, et je suis à sa recherche. J'enquête sur la disparition de la Vénus de Milo et sur l'attaque du Trans Europ Express… Non, désolée, mais je n'ai pas le temps.

Comme elle finit de prononcer ces mots, un objet lancé par-dessus le mur de clôture tombe dans l'herbe, roule et s'arrête à ses pieds. Elle le ramasse. C'est une pierre, enveloppée d'un papier.

Elle le déplie, lit la phrase qui y est écrite, puis le replie et le met pensivement dans une petite poche. Olivo dit avec surprise :

— De curieux objets tombent du ciel, dans votre pays…

— Oui, vous avez raison.

Elle cueille un nouveau brin d'herbe, sifflote entre ses dents, puis dit nettement :

— J'accepte !

Olivo saute de joie.

— Vous acceptez ? Vous voulez bien protéger notre cher prince Norberto ?

— Oui. Je me rendrai au Panorama quand vous voudrez.

— Ah ! bravo ! Bravo et merci ! J'étais sûr de bien agir en m'adressant à vous. Alors, si vous le voulez, nous allons régler immédiatement quelques questions matérielles… Vous recevrez une gratification de dix mille couronnes panoramiennes…

— Je dois vous dire tout de suite que l'argent ne m'intéresse pas. Si j'accepte cette mission, c'est pour le plaisir de courir des risques.

— Soit. Nous mettrons néanmoins cette

15

somme à votre disposition. Vous l'emploierez comme vous voudrez.

— Alors, je la donnerai à une œuvre de bienfaisance.

— Parfait. Il faut maintenant trouver un prétexte pour que vous puissiez vous trouver aux côtés du prince sans éveiller les soupçons. J'avais pensé que vous pourriez lui donner des leçons de français.

— Moi ? Vous croyez que ce serait vraisemblable ?

— Il ne s'agit pas de vous présenter comme un professeur, mais comme une camarade avec qui il pourrait bavarder de manière à améliorer sa prononciation.

— Bon, entendu.

— D'autre part, je voudrais vous voir modifier votre aspect physique. Comme votre mission a un caractère secret, il serait bon que vous changiez de personnalité… Est-ce possible ?

— Oui, comptez sur moi. J'aurai une perruque blonde et des lunettes à grosse monture d'écaille. Cela change complètement ma physionomie.

— Perruque blonde et lunettes ? Très bien.

Il sort de sa poche un petit carnet plat.

 16

— Il ne me reste plus qu'à vous remettre votre billet d'avion et à vous souhaiter bon voyage.

— Comment ? Ma place est déjà retenue ?

— Dans un avion qui atterrira au Panorama demain matin. Moi-même, je pars ce soir et vous précéderai de quelques heures.

— Vous saviez donc que j'allais accepter ?

— Je l'espérais, chère mademoiselle, je l'espérais !

Sur ce, il salue profondément, une main sur le cœur, et se retire. Fantômette cueille une pâquerette pour en mordiller la tige, sort de sa poche le message et le déplie. Elle relit la phrase tracée en lettres d'imprimerie majuscules :

FANTÔMETTE, NE VOUS OCCUPEZ PAS DE CETTE AFFAIRE, SINON VOUS AUREZ DES ENNUIS.

Au bas de la page, une signature était constituée par une seule lettre, un grand S noir.

chapitre 2

Lancement de couteaux

L'avion des Aerolineas panoramianas se pose sur l'aérodrome d'Alcachofa, la capitale, à neuf heures du matin.

Le voyage a paru court à Fantômette, qui s'est agréablement divertie en croquant des bonbons offerts par l'hôtesse de l'air, en sirotant des orangeades et en lisant des magazines.

Dès sa sortie de l'avion, elle a la sensation de se trouver dans un pays tropical. Quoique la matinée soit peu avancée, le soleil est déjà chaud. De la poussière flotte dans l'air et des mouches bourdonnent.

Les formalités de douane s'accomplissent

sans difficulté. Comme Fantômette traverse le hall de l'aérogare, un homme portant un uniforme de chauffeur s'approche, touche sa casquette bleue et demande en espagnol (la langue parlée au Panorama et que Fantômette connaît parfaitement) :

— C'est bien vous, mademoiselle, qui venez donner des leçons de français ?

— Oui, c'est moi.

— Veuillez me suivre, s'il vous plaît.

Fantômette s'assure que sa perruque blonde et ses grosses lunettes tiennent bien en place, suit l'homme jusqu'à une longue voiture noire et s'assoit sur la banquette arrière. Le véhicule démarre silencieusement et s'élance sur une grande avenue bordée de palmiers. Des villas sont construites au long de cette route. Basses mais très vastes, aux murs blancs percés de petites fenêtres, couvertes de larges toits plats en tuiles romaines. Parfois, les grilles en fer forgé des entrées laissent deviner un patio rafraîchi par quelque fontaine. Au-delà, c'est le désert. Un désert montagneux, rugueux, jaunâtre, brûlé par le soleil.

« Un vrai décor pour film de cow-boys ! » pense la jeune fille en regardant les cactus-chandeliers.

Après dix minutes de trajet, la voiture entre dans une ville aux rues larges, dont la plupart des édifices sont blancs. Fantômette entrevoit des monuments aux façades fouillées, des parcs et des places ornées de bassins que surmontent des jets d'eau. L'auto traverse une place plus grande que les précédentes, bordée sur un côté par un palais dont l'architecture compliquée rappelle d'assez près les casinos de la Côte d'Azur. Colonnes, frontons et moulures ont dû donner bien du travail aux sculpteurs.

La voiture franchit une grille devant laquelle deux gardes sont plantés, raidis dans leur uniforme rouge et or, coiffés du casque à panache, et s'arrête au pied d'un perron en haut duquel se tient Olivo. Il accueille en souriant sa jeune visiteuse.

— Mademoiselle, je suis ravi de vous connaître. Avez-vous fait bon voyage ?

Il appuie sa phrase d'un discret clin d'œil. Fantômette comprend qu'il veut feindre de la voir pour la première fois. L'entrevue de la veille doit évidemment rester secrète. Elle le suit à travers un vestibule aux dalles noires et blanches disposées en damier, monte un escalier taillé dans un marbre qui a dû franchir l'Atlantique sur un galion, au XVIIᵉ siècle, et longe de nombreux couloirs revêtus de tapis aux couleurs vives, provenant sans doute du Mexique.

Le chef de la police s'arrête devant une porte en bois sculpté.

— Voici votre chambre, mademoiselle. Celle de Son Altesse est la suivante. Si vous voulez bien entrer…

La jeune aventurière pénètre dans une chambre dont les vastes dimensions la surprennent tout d'abord. La distance séparant les murs paraît énorme. Le plafond se perd dans les nuages… L'ameublement est proportionné aux mesures de la pièce. Un gigantesque lit à baldaquin dans lequel les six frères du Petit Poucet auraient tenu à l'aise, une table massive à pieds torsadés suffisante pour jouer au ping-pong ; un coffre-banc en bois de campêche rouge sombre, aussi grand qu'un tombeau de pharaon…

Olivo appuie sur un timbre. L'instant d'après, une *muchacha* à tablier blanc fait son apparition.

— Voici Anita. Elle sera à votre service pendant votre séjour au Panorama. Elle vous présentera à Son Altesse dans une demi-heure, lorsque la leçon d'histoire sera terminée. Le prince a chaque jour un cours d'histoire…

Il s'incline et se retire, laissant seules les deux jeunes filles. Anita bombarde aussitôt Fantômette de questions. Sa robe vient-elle de Paris ? Et ses chaussures ? Qu'a-t-elle apporté dans son sac de voyage ? Comment se coiffe-t-on en ce moment en Europe ? Les jupes ont-elles raccourci ou allongé ? Les programmes de la télévision sont-ils intéressants ? Qui sont les chanteurs à la mode ? Et les films ?

Fantômette répond en riant et pose à son tour des questions. Le prince Norberto a-t-il les yeux bleus ou noirs ? Sait-il danser ? Parle-t-il bien le français ? À quoi occupe-t-il ses journées ?

Anita réplique avec volubilité, en agitant les mains :

— Son Altesse a des yeux bleus et des cheveux blonds. Il ressemble à son grand-père Alexis Gorodine, qui était russe. Il danse très bien, car un professeur italien, le *signor* Rastelli, lui donne des leçons trois fois par semaine. Il parle le français, oui, mais on dit qu'il fait beaucoup de fautes. À quoi il occupe ses journées ?

La petite Anita lève les bras au ciel – c'est-à-dire en direction du plafond – et s'écrie :

— Ah ! il a des journées très chargées !

Son emploi du temps est établi minute par minute. Jamais une seconde de libre ! Vous savez, mademoiselle, je ne voudrais pas être à sa place !

— Comment ? Il est si occupé ?

— Oh ! oui. Norberto a tant de choses à faire ! Le matin, il se lève très tôt, à neuf heures…

— Ah ? Ma foi, ce n'est pas si tôt. Moi, je me lève à sept heures.

Anita sourit.

— Oui, mademoiselle, parce que vous vivez en France. Mais ici, au Panorama, tout le monde se lève vers dix heures. C'est à cause du climat. La journée commence tard et se finit tard également. Il fait si bon à la tombée de la nuit que l'on se promène dans les rues jusqu'à minuit.

— Bien, je comprends. Alors, que fait le prince, une fois qu'il a réussi à sortir de son lit ?

— Il doit d'abord exécuter des mouvements de gymnastique, sous la surveillance du *señor* Musculo, un professeur agrégé d'éducation physique. Il doit plier dix fois les genoux, toucher quinze fois la pointe de ses pieds avec ses mains et élever les bras vingt-cinq fois. Vous vous rendez compte ?

— Oui, oui, je me rends compte. Ensuite ?

— Ensuite, le prince fait sa toilette pendant dix minutes.

— Dix minutes, exactement ?

— Ni une minute de plus, ni une de moins. C'est le règlement de la cour. Un règlement très ancien qui date du roi Carlos Cuarto. Mais je crois qu'autrefois la toilette était simplifiée. Le roi se frottait le bout du nez avec une serviette…

Fantômette a du mal à garder son sérieux. Elle imagine difficilement le jeune prince contraint de se débarbouiller en regardant un chronomètre pour ne pas dépasser les dix minutes réglementaires ! Cependant, Anita poursuit son exposé de l'emploi du temps princier :

— Quand la toilette est terminée, le prince Norberto prend son petit déjeuner. C'est moi qui le lui sers. Je lui apporte du thé et trois tartines de confiture d'oranges.

— C'est tous les jours de la confiture d'oranges ?

— Oui. Le prince préfère la confiture d'abricots, mais le règlement l'interdit. Il n'a droit qu'à l'orange.

— Ensuite ?

— Ensuite, M. Barbant vient lui donner sa leçon d'histoire. C'est justement avec M. Barbant que le prince se trouve en ce moment. Quand la leçon sera finie, il aura droit à sept minutes de récréation qu'il doit obligatoirement passer dans le jardin royal, que vous voyez par cette fenêtre...

— Et s'il pleut ?

— La récréation doit quand même se faire dans le jardin. Mais heureusement, il pleut rarement dans notre pays. Ah ! j'entends la voix de M. Barbant. La leçon doit être finie. Voulez-vous me suivre ? Je vais vous présenter... Au fait, je ne sais pas votre nom ?

Fantômette a prévu le cas.

— Je m'appelle Flore Dujardin.

Elle suit Anita dans le couloir. La *muchacha* frappe à la porte de la chambre princière.

— Entrez !

Anita ouvre, annonce :

— Mademoiselle Dujardin, qui va donner des cours de français à Votre Altesse.

Sur une révérence, elle se retire, et Fantômette demeure seule en présence du prince.

C'est un garçon blond, aux yeux bleus empreints d'une certaine rêverie triste. Au coin de la bouche, un pli révèle la mélancolie de son âme. Jeune, beau, comblé d'honneurs, il devrait être pleinement heureux. S'il ne l'est pas, c'est précisément parce que cette vie brillante s'accompagne de telles contraintes, de telles charges, qu'elle ne laisse place à aucune fantaisie. Ses journées ne sont qu'une longue suite de gestes mesurés, d'actes réglés par l'étiquette, c'est-à-dire par un cérémonial minutieux et compliqué, établi une fois pour toutes. Un oiseau passe-t-il dans le ciel durant la réception d'un personnage important ? Il n'est point permis au futur monarque de distraire son attention. Une mouche tournoie-t-elle dans un rayon de soleil pendant que M. Barbant disserte sur la politique extérieure du Panorama ? S'il la regarde voler, le jeune prince est sévèrement rappelé à l'ordre par le grand maréchal de la cour qui assiste à la plupart des leçons.

Et pourtant, que de fois Norberto a eu envie d'abandonner devoirs et leçons, pour se plonger avec délices, s'il l'avait pu, dans la piscine du parc royal ! Mais la baignade n'est autorisée que le vendredi de 17 h 30 à 18 h 25…

L'apparition de Fantômette efface l'expression de tristesse qui assombrit le visage du prince. Le grand maréchal de la cour lui a annoncé l'arrivée imminente d'un nouveau professeur de langue française. Il l'attendait avec un mélange d'impatience et de curiosité, en se demandant s'il aurait affaire à un vieux bonhomme barbu.

La première impression apparaît nettement favorable, et il est agréablement surpris de constater que le nouveau professeur semble avoir à peu près le même âge que lui. Il fait un pas en avant, s'incline et dit en français :

— Mademoiselle, je vous souhaite le bienvenue ou la bienvenue... Excusez-je, mais votre langue je ne sais pas très bien encore... Heu... Vous allez peut-être rire avec mon langage mal mis ? Vous allez me moquer ?

Fantômette secoue la tête en souriant.

— Non, prince. Il n'y a aucune raison pour que je me moque de Votre Altesse. Quand on apprend une langue étrangère, il est bien normal de faire quelques fautes au début.

— Oui, c'est vrai. S'il vous plaît, n'appelez pas moi avec prince ou Altesse. J'aime mieux Norberto. Et vous, votre petit nom ?

— Flore.

— Flore ? Très joliment beau nom. Je suis content beaucoup que vous n'êtes pas un vieux barbu professeur. S'il vous plaît, nous allons au jardin. C'est l'heure du récréation.

Le prince et Fantômette traversent la chambre, sortent sur une terrasse, descendent un escalier de pierre. Le jardin royal rappelle ces oasis fraîches qui accueillent le voyageur accablé par la traversée du désert. Des palmiers forment des ombrelles naturelles, des plantes grasses et des cactus d'apparence variée entourent des bassins aux mosaïques bleues dont les jets d'eau clapotent agréablement. Des jardiniers cachés sous d'immenses chapeaux de paille travaillent, ou plus exactement flânent parmi les acacias, les mimosas ou les yuccas.

Le prince entraîne sa nouvelle compagne vers un palmier isolé des autres, dont le tronc porte une multitude d'éraflures et d'entailles.

— Savez-vous lancer couteau, Flore ? C'est mon jeu préféré. Nous, au Panorama, nous sommes très adroits pour lancer couteau. Je vais montrer vous…

Il s'approche d'un monticule de rocaille où s'accrochent des herbes épineuses, se baisse, sort de l'abri d'une roche une demi-douzaine de couteaux longs et lourds, aux manches torsadés de cuir.

— Je vais montrer mon adresse à vous, Flore.

Il se place à cinq pas du palmier, prend un couteau par la lame, le balance un instant, puis le projette d'un mouvement sec. Le couteau se plante dans le tronc. Fantômette applaudit.

— Bravo, Norberto ! Vous êtes très adroit. Mais il faudrait que vous soyez plus éloigné de la cible. À dix pas au moins…

— Ah ? Ce n'est pas plus difficile.

Il recule, lance un deuxième couteau qui heurte le tronc à plat et retombe sur le sol.

— Attendez, je lance un autre…

Le projectile frôle l'arbre et va se ficher dans un cactus arrondi qui a la forme d'une citrouille. Le prince lance encore deux couteaux qui manquent leur but. Le sixième enfin consent à toucher le palmier de la pointe, mais il se plante tout de travers.

— Je crois que je n'ai pas… Comment dit-on ? la forme ?

— Pourtant, ce n'est guère compliqué. Voulez-vous me prêter ces couteaux ?

— Ah ! Vous espérez faire mieux que je ?

— Je vais essayer.

Fantômette prend les armes que le jeune prince lui tend d'un air ironique, recule à quinze pas du palmier et très vite, sans donner l'impression de viser, elle projette à la cadence d'une mitrailleuse les six couteaux qui s'enfoncent en plein dans le tronc, si près l'un de l'autre qu'ils se touchent. Norberto pousse un cri de stupeur :

— *Dios mio !* C'est incroyable ! Cela je n'ai jamais vu ! Vous êtes une grande sorcière !

— Non, mais je me suis entraînée depuis un certain temps.

À la fois émerveillé et stupéfié, le prince s'approche du palmier, arrache un à un les poignards en répétant :

— *Magnifico !… magnifico !…*

Dans son enthousiasme, et comme il tourne la tête pour féliciter Fantômette, il ne prend pas garde qu'il saisit à pleine main une des lames. Quand il sent la douleur, c'est trop tard : son pouce gauche se trouve sérieusement entamé. Il fait la grimace.

— Ah ! je saigne comme poulet !

Fantômette examine la blessure.

— Bon, c'est une jolie coupure bien nette. J'ai ce qu'il faut dans ma chambre pour vous faire un pansement.

Ils sortent du jardin en courant et montent dans la chambre de Fantômette. Celle-ci saisit dans son sac de voyage une trousse à pharmacie, y prend du coton, de l'eau oxygénée et de la gaze hydrophile. En un tourne-main, elle confectionne une poupée autour du pouce accidenté.

Comme elle termine ce petit travail d'infirmière, on frappe à la porte. C'est Anita qui annonce :

— Monsieur le grand maréchal de la cour !

Le grand maréchal apparaît.

Haut de taille, mince comme une épée, le cheveu rare et grisonnant, le nez en bec d'aigle, il fait immédiatement penser à Don Quichotte. Il se tient très droit dans un uniforme vert bouteille soutaché d'argent, et serre sous le bras un porte-documents de cuir noir.

Il incline le tronc d'un mouvement si brusque qu'on croirait qu'il se casse en deux comme une baguette de verre, et dit :

— Je présume que cette demoiselle est celle qui doit aider Votre Altesse à parfaire sa connaissance du français ?

Sans attendre de réponse, il glisse la main dans une des larges poches de son uniforme, en sort une montre ronde, large et plate, et déclare :

— Prince, l'heure de la leçon de géographie est largement entamée. Votre Altesse a déjà trois minutes de retard...

— Je me suis coupé, monsieur le grand maréchal, et...

— Ce n'est pas une raison, prince. Quand bien même vous auriez quelques bras en moins, cela ne devrait point vous empêcher d'assister au cours de géographie.

Il pivote sur les talons et part au pas militaire.

Norberto soupire à mi-voix :

— Il n'est pas drôle beaucoup, n'est-ce pas ? Vous qui êtes sorcière, vous ne pouvez pas faire disparaître lui ?

Fantômette fait non de la tête en riant. Le prince hoche la tête :

— Tant pis, tant pis ! Allons étudier la géographie...

La jeune fille suit le prince à travers un dédale de couloirs, d'escaliers et d'antichambres, tout en jetant à droite et à gauche des regards furtifs pour graver la disposition des lieux dans son esprit. Le palais n'est peuplé

34

que de rares serviteurs qui semblent somnoler quelque peu, la chaleur se faisant déjà vivement sentir. Tout est calme, et Fantômette doit faire un effort pour se persuader que le prince court un danger. Cet endroit paisible ne semble guère convenir aux exploits néfastes du terrible Serpent Noir.

« Je me demande si l'on ne m'a pas fait venir pour rien », pense la jeune aventurière. Elle décide néanmoins de garder l'œil ouvert et de se tenir prête à affronter un adversaire invisible pour l'instant.

La pièce dans laquelle elle pénètre à la suite de Norberto est une vaste bibliothèque dont les quatre murs sont tapissés de livres reliés en cuir. Derrière une table de style espagnol est assis M. Cortès Tirano y Cifuentès, président de l'académie royale de géographie du Panorama. C'est à lui que revient l'honneur d'inculquer au futur souverain des notions telles que la superficie de l'Afrique, la longueur du Yang Tsé Kiang ou le tonnage annuel de blé produit par le Canada.

Dans un fauteuil est assis le grand maréchal de la cour, témoin habituel des leçons. Le prince prend une chaise face au professeur et Fantômette trouve un siège dans un coin de la pièce.

La leçon commence.

Au bout de trois ou quatre minutes à peine, le grand maréchal de la cour laisse tomber son menton sur sa poitrine et ne manifeste plus sa présence que par des ronflements réguliers.

Le professeur Cortès Tirano y Cifuentès se lève, s'approche d'un tableau noir accroché entre des rayons de livres et poursuit ses explications :

— … Traçons maintenant le rio Palabra, cours d'eau principal de notre pays. Sur la rive droite, nous trouvons d'abord un petit affluent, le Zapato, puis une rivière tumultueuse, la Comparsita. Le rio s'engage ensuite dans les défilés de la Sierra del Tonto…

Armé de craies de couleur, le distingué géographe trace les fleuves en bleu, les montagnes en marron, les forêts en vert…

Le prince tourne la tête vers Fantômette, cligne de l'œil, et se lève silencieusement. D'un geste discret, il fait signe à la jeune fille de le suivre. Elle se lève à son tour et sort derrière Norberto qui s'éclipse de la bibliothèque sur la pointe des pieds, pendant que M. Cortès y Cifuentès continue ses barbouillages colorés.

Une fois dans le couloir, Fantômette demande :

— Cela vous arrive souvent de filer pendant les leçons ?

— Non, jamais.

— J'ai l'impression que le grand maréchal va être furieux quand il va se réveiller…

— Je crois, oui ! Ha, ha !

De sa vie, le prince n'a jamais été aussi heureux. Pour la première fois, il joue un tour au grand maréchal. Ce qu'il n'aurait sans doute jamais osé faire sans la présence de Fantômette. Profitant de ce congé exceptionnel autant qu'irrégulier, il est décidé à bien s'amuser.

Il expose rapidement un projet imaginé depuis longtemps, mais qu'il n'a encore pu mettre à exécution : se promener à cheval dans la ville.

Sans doute lui accorde-t-on le droit de pratiquer l'équitation, mais uniquement dans une allée cavalière du parc royal, chaque jeudi entre 9 h 33 et 10 h 26.

— Savez-vous monter sur cheval, Flore ?

— Bien sûr.

— Bravo ! Allons aux écuries.

Le prince fait seller deux chevaux, au grand ébahissement du palefrenier qui bégaie :

— Mais, prince… c'est… c'est… Ce n'est pas jeudi, aujourd'hui !

Puis les deux cavaliers bondissent en selle, traversent le jardin au galop et franchissent la grille à bride abattue, disparaissant avant que les gardes aient songé à présenter les armes.

Le prince tourne la tête vers sa compagne et crie :

— Connaissez-vous le musée Mariscos ?

— Non, je n'ai pas encore eu le temps de voir quoi que ce soit !

— Alors, allons-y ! Suivez-je…

Provoquant un certain émoi parmi la tranquille population d'Alcachofa, les chevaux traversent la place d'un marché en effrayant les ménagères qui maintiennent à grand-peine l'équilibre des paniers posés sur leur tête, en faisant fuir les petits ânes des marchands et en bousculant un vendeur ambulant de chapeaux. Les immenses sombreros que l'homme portait superposés sur son crâne s'envolent pour s'en aller rouler entre les piles de melons ou les jarres de terre cuite.

Le jeune prince est enchanté de ces exploits nouveaux pour lui. Il s'amuse comme un fou. C'est seulement en vue du musée Mariscos qu'il modère sa monture.

En mettant pied à terre, Fantômette pense que, si le prince abandonne son horaire rigoureux pour une conduite aussi fantaisiste, le Serpent Noir va rencontrer de sérieuses difficultés pour perpétrer son attentat. Tout en rajustant sa perruque blonde, elle se dit :

« Tant mieux, après tout ! Si le Serpent médite de jeter une bombe sur son passage, il devra y renoncer faute de pouvoir prévoir l'heure exacte de l'apparition du prince. Voilà qui va faciliter ma tâche… »

À l'entrée, le prince est reconnu par la caissière, qui fait un grand sourire, et par le gardien qui ouvre le passage. Mais le prince déclare qu'il n'est pas en visite officielle, mais privée. Il paie donc deux billets, geste qui est encore pour lui une nouveauté, car il n'a jamais l'occasion de débourser la moindre couronne panoramienne, les dépenses étant toujours à la charge du grand maréchal de la cour.

— Venez par ici, Flore. Vous allez voir quelques curiosités du pays à moi. Heu… On dit « du pays à moi », ou « de mon pays » ?

— De mon pays.

— Ah ! très bien. Il faut me rectifier quand je trompe me.

— Quand je me trompe.

— Ah ! le français est une langue commode pas !

Le prince désigne des figures de bois sculpté, explique qu'elles appartiennent à l'ère précolombienne – c'est-à-dire avant que Christophe Colomb ne découvre le Nouveau Monde – et ont été façonnées par des Toltèques, qu'il ne faut pas confondre avec les Aztèques, les Incas ou les Mayas. Il profite de la circonstance pour faire à Fantômette un petit cours de géographie qui aurait enchanté M. Cortès Tirano.

La salle suivante contient des vases rares, des bijoux et des étoffes. Vient ensuite une galerie où est présentée une collection d'armes anciennes. Enfin, on trouve la plus importante salle du musée. Aux murs sont accrochés les portraits d'hommes célèbres (destinés sans doute à figurer dans un de ces manuels chers à M. Barbant), révolution-naires pour la plupart, peints dans des poses où s'exprime la fierté d'un général qui vient de gagner une bataille.

Au fond de la salle se dresse une sorte d'estrade recouverte d'un dais. Sur cette scène, on peut voir trois personnages. L'un, assis au centre sur un trône, est le président Moscatel. Fantômette a déjà vu sa photo et elle le reconnaît du premier coup d'œil. À sa droite se trouve un personnage à lunettes dont le prince indique l'identité.

— C'est le Premier ministre, le *señor* Anselmo de Paz.

À la gauche du président Moscatel, un jeune homme se tient debout, figé au garde-à-vous.

— Mais… c'est vous ! s'écrie Fantômette.

Norberto sourit.

— Oui, c'est moi. Je suis ressemblant beaucoup, n'est-ce pas ?

La jeune fille s'approche des trois personnages. Bien qu'ils soient parfaitement immobiles, ils paraissent vivants.

— Vous êtes en effet très ressemblant. Mais au naturel, vous remuez beaucoup plus !

— Heureusement ! Je ne serais pas capable de rester comme ça, immovi… immoti…

— Immobile.

— Oui, immobile pendant des heures. Est-ce qu'il n'y a pas aussi à Paris un musée même chose ?

— Un musée semblable ? Oui, le musée Grévin. On y trouve des figures de personnes célèbres ou d'hommes politiques, modelées dans de la cire.

— Quand j'irai en France, je le visiterai.

Maintenant, revenons au palais. Le grand maréchal va être dedans une colère énorme. Peut-être qu'il avalera sa montre de fureur, ha, ha !

Ils sortent du musée, remontent à cheval et retournent au petit trot en direction du palais royal. Il est à peu près une heure de l'après-midi et le soleil écrase la ville avec un mélange explosif de lumière et de chaleur.

Après avoir remis leurs montures aux écuries, nos jeunes gens traversent le vestibule, longent des couloirs et parviennent à l'entrée de la bibliothèque. Une voix filtre à travers la porte entrebâillée : celle de M. Cortès Tirano y Cifuentès. Le prince glisse un regard dans l'ouverture. Ce qu'il aperçoit fait naître un sourire sur ses lèvres.

Le grand maréchal de la cour est toujours enfoncé dans son fauteuil, les mains croisées sur son ventre, le menton sur la poitrine. Il ronfle comme une voiture de sport. Dos tourné, le professeur poursuit son cours de géographie à haute voix. Norberto et Fantômette entrent silencieusement dans la bibliothèque et s'assoient. Dix secondes plus tard, M. Cortès Tirano achève sur une brillante péroraison :

— Vous voyez donc que le Panorama,

tant par sa position géographique que par l'importance de son développement économique, est appelé à jouer un rôle éminent parmi les nations de l'Amérique latine.

Il se retourne, salue courtoisement et fait une sortie pleine de dignité. Le bruit de ses pas réveille le grand maréchal qui se lève, tousse pour s'éclaircir la gorge et déclare, d'un ton convaincu :

— La leçon était fort intéressante, aujourd'hui !

chapitre 4

Fantômette
se démasque

À trois heures de l'après-midi, Fantômette déjeune à la table du prince.

Au nombre des convives se trouvent le grand maréchal, le Premier ministre Anselmo de Paz, le chef de la police Pedro Olivo et le colonel Toro de Fuego. Fantômette ne prend pas part à la conversation, qui traite de politique étrangère, de finances ou de guerre, mais elle ouvre en grand yeux et oreilles, cherchant si quelques-unes de ces figures dissimulent des membres de l'association secrète.

Le futur assassin peut aussi se cacher parmi le personnel. Est-ce ce majordome à l'œil noir ? Ce maître d'hôtel empressé ? L'un de ces serveurs actifs ?… Comment le deviner ?

Cependant, rien d'inquiétant ne se produit au cours du repas. Le chef de la police ne semble éprouver aucune inquiétude, bien au contraire. Il se penche vers le colonel Toro de Fuego pour écouter une anecdote, puis se rejette en arrière en éclatant de rire. Peut-être la présence de la jeune aventurière suffit-elle à le rassurer pleinement sur le sort du prince ?

Après déjeuner, tout le monde fait la sieste, comme il est de coutume dans tous les pays du continent américain situés au sud du 30e parallèle, qui correspond à peu près à la frontière séparant les États-Unis du Mexique.

Après la sieste, le prince retourne dans la bibliothèque, où le *señor* Fulano de Tal lui donne une leçon de calcul. Le jeune élève voudrait bien se sauver comme il l'a fait le matin, mais le professeur a l'œil vif, et il n'est pas question d'échapper à sa surveillance. Norberto se trouve donc contraint de calculer la moyenne horaire d'un train qui part de Santa Fé à 7 h 45, s'arrête dix minutes à Los Pimientos et arrive en gare d'Alcachofa à 21 h 37.

La leçon se termine à 17 h 30. Comme on est vendredi, le jeune prince a droit à la baignade. Fantômette l'accompagne à la piscine, met un bonnet pour protéger sa perruque et pique une tête dans le bassin alimenté par les eaux du rio Plabra.

— Une eau parfaitement canalisée et filtrée, fait remarquer le prince.

— Pourquoi ? demande Fantômette. Elle est donc si sale ?

— Non, le rio Palabra est un fleuve très propre. Mais il y a dedans beaucoup énormément de crocodiles. Et sans un filtre, la piscine serait pleine avec ces animaux, alors…

À 18 h 25, la longue silhouette du grand maréchal de la cour se profile dans le jardin. Il vient mettre un terme aux ébats nautiques des deux jeunes baigneurs qui n'ont pas du tout envie de sortir de l'eau : le prince a défié Fantômette sur dix longueurs de piscine, et les concurrents n'en sont qu'à la moitié du parcours.

Le grand maréchal crie, agite sa montre, lève les bras au ciel, tire sur sa moustache et menace de démissionner si Son Altesse ne consent pas à sortir du bain. Son Altesse fait la sourde oreille. Une oreille d'autant plus sourde qu'elle est plongée sous l'eau.

Tempêtant et rageant, le grand maréchal retourne au palais en se promettant de faire son rapport au président Moscatel.

Le prince finit par sortir de l'eau, battu de trois longueurs par Fantômette, mais ravi. Car pour la première fois de sa vie, il a prolongé la baignade de trois quarts d'heure !

— La somme promise est dans le tiroir de votre commode.

— Je vous remercie, monsieur.

— Vous n'avez rien remarqué de suspect ?

— Non, rien.

— Personne n'a cherché à s'approcher du prince ?

— Personne.

— Bien. Vous continuez à ouvrir l'œil, n'est-ce pas ?

— Évidemment.

— Parfait. Ne le quittez pas !

— Rassurez-vous, monsieur, je veille.

Olivo approuve d'un signe de tête et s'éloigne. Cette courte conversation vient d'avoir lieu dans le couloir qui donne accès à la chambre de la jeune fille et à celle du prince. Le chef de la police paraît nerveux. La menace se précise-t-elle ?

Fantômette pose son index gauche sur

la pointe de son menton. Elle réfléchit. Norberto est-il au courant du complot qui se trame contre lui ? Sait-il que le Serpent Noir cherche à l'assassiner ? C'est peu probable. Il a l'air si tranquille, si gai, si insouciant !

« Je veille sur lui, mais ce n'est peut-être pas suffisant. On se garantit mieux d'un danger si on sait qu'il existe… Je vais le prévenir. »

Elle sort de sa chambre, frappe à la porte voisine.

— Entrez !

Assis devant une table, Norberto résout un problème de géométrie que M. Fulano de Tal lui a posé. Ses cheveux sont encore mouillés par l'eau de la piscine.

— Re-bonsoir, Flore ! Il est l'heure de dîner ?

— Non, pas encore. Je voulais vous poser une question. Mais vous êtes occupé ?

— Oh ! un problème de plus ou de moins ! J'ai bien le temps… J'écoute avec attention-nement.

— Avec attention.

— Oui, vous avez raison, avec attention.

Fantômette s'approche de la fenêtre, jette un coup d'œil sur le jardin. Le soleil commence à se cacher derrière les palmiers, disque rouge sur fond de pourpre.

— Dites-moi, Norberto, avez-vous déjà entendu parler du Serpent Noir ?

— Le Serpent Noir ? Non, qu'est-ce que c'est ?

— Une organisation secrète qui cherche à prendre le pouvoir.

L'œil bleu du prince s'arrondit.

— Le pouvoir ? Vous voulez dire qu'une organisation veut renverser le président Moscatel ?

— En quelque sorte, oui. Et profiter du moment où vous allez monter sur le trône pour déclencher une révolution. Vous n'êtes pas au courant ?

— Non, pas du tout. Mais… qui vous a raconté tout ça ?

— Olivo, le chef de la police.

Le prince ouvre la bouche, stupéfait. Puis il se lève et demande :

— Pourquoi vous a-t-il dit ça ? Je ne comprends pas ! À moi, il ne m'a jamais rien dit ! Jamais rien ! Et à vous, il révèle un complot ! Expliquez à moi, je vous en prie !

Fantômette se met à faire les cent pas dans la pièce, l'index toujours appuyé sur son menton. Elle s'immobilise près d'une cheminée monumentale qui ne doit jamais servir, le climat du Panorama étant tropical tout au long de l'année. Puis elle prononce lentement :

— Norberto, il faut que vous appreniez une chose. Je ne suis pas venue ici pour vous donner des cours de français…

— Quoi ?

— Non, ce n'est pas le véritable but de mon séjour. Le chef de la police m'a demandé de vous protéger contre un attentat.

— Me protéger ! Vous êtes donc une policière ?

— Si l'on veut… Avez-vous entendu parler de Fantômette ?

— Oh ! oui. C'est une justicière qui captionne… heu… capture les bandits. Pourquoi ?

La jeune fille retire ses lunettes, sa perruque et secoue la tête pour faire bouffer sa chevelure brune.

— Fantômette, c'est moi !

Le prince laisse tomber son stylo qui gratifie d'un magnifique pâté le cahier d'arithmétique.

— Vous êtes Fantô…

— Chut !

Un doigt posé sur les lèvres, elle fait signe au prince de se taire, puis elle baisse la voix pour dire :

— Vous avez entendu ?

— Non.

— Un craquement derrière la porte.

Elle remet perruque et lunettes, s'approche de la porte sur la pointe des pieds. Elle pose la main sur la poignée, tourne et ouvre brusquement.

Un homme se trouve dans le couloir. Un domestique. Il a un mouvement de surprise, recule d'un pas, bredouille une vague excuse, fait demi-tour et disparaît.

— Qui est-ce ? demande Fantômette.

— Chaleco. Il est attaché à mon service.

— C'est son habitude de vous espionner ?

Norberto a un geste évasif.

— Bof, je ne sais pas...

— Vous le connaissez depuis longtemps ?

— Pas très. Il est entré au palais le mois dernier. Vous pensez... que c'est un membre du Serpent Noir ?

— Je l'ignore, Norberto. Mais je me méfie de tout le monde. Et vous avez intérêt à en faire autant. Quelque chose se trame contre vous et je ne sais malheureusement pas ce que c'est. Alors, soyez prudent. Quand je serai sortie, fermez votre porte à clef et ne vous approchez pas des fenêtres.

— Vous me laissez seul ?

— Si je reste avec vous, je risque d'être victime du même attentat. Tandis qu'au-dehors, j'aurai plus de liberté pour parer le coup qui vous menace.

Le prince réfléchit un instant, puis objecte :

— Il faudra bien que je sorte de mon chambre pour dîner…

— Oui, mais pendant les repas vous ne risquez pas grand-chose. Il y a trop de monde pour que le Serpent Noir vous attaque ouvertement. Le danger, c'est lorsque vous êtes seul. À tout à l'heure !

Elle sort, referme la porte que le prince verrouille derrière elle.

Jusqu'à l'heure du dîner, elle furète dans tous les coins du palais, parcourt des couloirs, pousse des portes, visite cave et grenier, monte et descend des escaliers, flairant, regardant, observant avec l'allure d'un chien de chasse lancé sur une piste.

Elle ne découvre rien de suspect. Aux cuisines, on s'affaire pour préparer le repas. Dans la cour, les domestiques respirent l'air frais du soir en parlant de la prochaine course de taureaux. Dans un salon du rez-de-chaussée, le colonel Toro de Fuego bavarde avec le grand maréchal en dégustant un verre de tequila, un alcool brûlant comme de l'acide sulfurique. Tout est calme.

« Le calme qui précède l'orage ! Mon instinct me dit qu'il va se passer quelque chose. Le tout est de savoir quoi. Ah ! j'ai l'impression de nager dans le vide ! Ma parole, si l'ennemi montrait son nez, je le remercierais ! Cette attente est exaspérante ! »

Elle marche de long en large, s'énerve. Face au danger, elle est admirable de sang-froid. Mais, lorsque ce danger se dissimule, l'agacement la saisit au point de lui faire perdre le contrôle de ses actes. Le tintement d'une cloche d'argent frappée trois fois annonce la *cena*, c'est-à-dire le dîner qui débute, en Amérique latine, vers dix heures du soir.

Fantômette se rend dans la salle à manger. Les convives sont les mêmes qu'au déjeuner, avec une personne supplémentaire : la chanteuse panoramienne Naty Palacios, dont les cheveux roux et les yeux noirs figurent sur la couverture des revues de cinéma ou de télévision. Elle capte toute l'attention, présidant la table en reine de beauté. Le colonel lui offre du vin ; le grand maréchal la complimente sur sa toilette ; le chef de la police l'invite à inaugurer la maison de retraite des gendarmes du Panorama. Tout le monde sourit dans une atmosphère détendue, agrémentée par les accords d'une guitare qui joue en sourdine. Fantômette se mord les lèvres.

« Mille millions de petits diables ! Pourquoi suis-je ici ? Je me demande si Olivo ne m'a pas fait venir pour rien ! Tantôt j'ai l'impression qu'une révolution va éclater, et tantôt il me semble que tout le palais est en fête ! »

Elle ronge son frein pendant une heure encore, puis, lorsque la soirée prend fin, elle accompagne le prince jusqu'à sa chambre et lui fait les mêmes recommandations que précédemment.

— Norberto, fermez bien votre porte et ne vous approchez pas des fenêtres.

— Pourquoi ? Vous pensez toujours qu'un danger me surveille… heu… me guette ?

— Oui. Je crains qu'un meurtrier ne vous envoie une balle de fusil à travers la fenêtre. Et ne laissez entrer que les personnes que vous connaissez.

Norberto a un petit rire moqueur.

— Ma chère Flore-Fantômette, j'ai l'impression que vous faites… comment dit-on dans votre langue ? du cinéma ? Oui, c'est cela. Vous vous croyez dans un scénario de film. Moi, je suis bien tranquille. Rien ne peut arriver à je… Non, arriver à moi.

— Je vous le souhaite. En tout cas, si le moindre incident se produit, appelez-moi. Je suis dans la chambre voisine. Bonne nuit, Norberto !

— Bonne nuit, Fantômette !

Le prince s'enferme à double tour, et l'aventurière entre dans sa chambre. Elle ôte sa perruque et ses lunettes qui commencent à l'incommoder fortement, revêt un élégant pyjama de soie noire, s'allonge sur le lit et laisse errer son imagination…

Vingt minutes plus tard, le drame éclate.

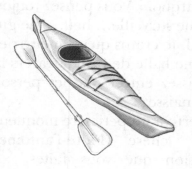

chapitre 5

La nuit terrible

Fantômette ouvre les yeux.

Aussitôt, elle a conscience qu'un phénomène anormal se déroule aux alentours du palais. Des appels et des cris lui parviennent, une sorte de rumeur confuse dont elle ne peut définir l'origine exacte. Et là-haut, sur le plafond, s'agitent des lueurs bizarres qui semblent filtrer à travers le bambou du store.

D'un bond, elle se lève, s'approche de la fenêtre. À l'autre extrémité du palais, vers l'aile où se trouvent les cuisines, des flammes rouges dansent sur le ciel d'encre. Tout de suite, elle comprend qu'il ne s'agit pas d'un feu de joie, mais d'un incendie. Des silhouettes noires s'agitent en criant « *Fuego ! fuego !* »

Elle remet sa perruque et ses lunettes, repousse le store, empoigne les tiges d'un aralia qui grimpe au mur comme du lierre, et se laisse glisser jusqu'au sol. Puis elle s'élance au pas de course vers l'incendie.

La confusion est extrême. Des serviteurs courent en tous sens, des *muchachas* affolées poussent des cris ; un palefrenier porteur d'un seau d'eau hurle : « Laissez-moi passer ! » Le grand maréchal de la cour, en chemise de nuit et au garde-à-vous, lance des ordres : « Compagnie !… Éteignez… Feu ! » Mais personne ne l'écoute. On cherche des extincteurs, on s'efforce de dérouler les tuyaux d'arrosage du jardin. Le bruit d'une sirène s'élève. Ce n'est pas une voiture de pompiers comme on peut l'espérer, mais une ambulance qui franchit la grille et s'arrête au pied du perron, prête à accueillir des blessés.

Fantômette lève les yeux vers la fournaise. Des flammes s'échappent en tourbillonnant de l'étage surplombant les cuisines. L'air est plein d'une odeur âcre émanant de la fumée qui sort par les ouvertures de la bâtisse. Un début de lutte contre le sinistre commence à s'organiser tant bien que mal. On trouve des seaux que l'on remplit hâtivement dans les bassins du jardin. Deux lances d'arrosage sont mises à disposition. Puis un nouveau bruit de sirène déchire la nuit : cette fois-ci, les pompiers arrivent ! Leur apparition encourage le personnel du palais qui redouble d'efforts. Fantômette participe activement à l'attaque du foyer. Elle s'est juchée sur une échelle double et projette de l'eau à travers une fenêtre.

Alors que ce combat atteint son maximum d'intensité, un éclair orangé illumine la nuit, suivi d'un coup de tonnerre ! Fantômette tourne la tête vers l'endroit où l'explosion vient de se produire. C'est là-bas, quelque part au-dessus du perron, dans une des chambres… Peut-être dans la chambre du prince…

Elle dégringole de l'échelle, se précipite vers le perron. Elle voit alors entrer dans la cour un groupe de cavaliers, des policiers, à la tête desquels chevauche Pedro Olivo, en uniforme. Il met pied à terre, s'approche de la jeune fille, demande :

— Que se passe-t-il donc ? Une révolution ?

— Non, un incendie à l'autre bout du palais. Et ici, une explosion.

— Oh ! de la fumée sort de la chambre où habite Son Altesse ! Pourvu que…

À cet instant, deux infirmiers apparaissent en haut du perron. Ils portent une civière sur laquelle est allongé un corps.

Fantômette pousse un cri :

— Norberto !

Les infirmiers descendent les marches de pierre, passent devant la jeune fille et les policiers. Sur le brancard gît le corps du prince ! Ils introduisent leur fardeau dans l'ambulance, referment la porte. L'un d'eux hoche la tête tristement en murmurant :

— C'est fini !

Puis le véhicule démarre et s'enfonce dans la nuit.

Le souffle coupé, la gorge sèche, Fantômette passe une main lasse sur son front. Ainsi, le Serpent Noir a réussi ! Et de la manière la plus simple du monde. En créant une diversion. L'incendie, évidemment, n'a été allumé par les criminels que pour détourner l'attention. Et, pendant que tout le monde était occupé à combattre le feu d'un côté, de l'autre ils faisaient éclater une bombe dans la chambre du prince !

Elle murmure :

— Que j'ai été stupide ! Oh ! c'est impardonnable ! J'aurais dû m'en douter.

Olivo s'approche et dit sèchement :

— Allons voir ce qui s'est passé là-haut !

Les policiers descendent de leur monture et escortent leur chef au premier étage. Dans le couloir, les fumées de l'explosion forment un nuage grisâtre. Une odeur de poudre brûlée flotte dans l'air. La porte de la chambre, soufflée par la déflagration, a volé en éclats. À l'intérieur, le désordre est effroyable. Meubles renversés, brisés, tentures déchirées. À la place de la cheminée, il y a un énorme trou. Olivo se baisse et ramasse un éclat de marbre noir qu'il considère pensivement.

— La pendule a éclaté... La bombe a dû être placée tout contre...

Il lève les yeux, s'exclame :

— Mais non, pas contre la pendule... dedans ! Mais oui, une bombe à retardement cachée à l'intérieur...

Le grand maréchal fait claquer ses longs doigts maigres.

— C'est peut-être même le mécanisme de la pendule qui a provoqué l'explosion !

— Vous avez raison, maréchal ! Une bombe

à retardement dont personne ne pouvait découvrir l'existence, et qui était pourtant à la vue de tout le monde ! Je me demande qui a pu la mettre là… Je me le demande, et je crois bien connaître la réponse… Passons dans la chambre voisine.

La chambre voisine, c'est celle de Fantômette. Olivo y entre, suivi du grand maréchal, de quelques policiers, d'Anita tout en larmes, du Premier ministre qui vient d'arriver et de Fantômette enfin qui se demande pourquoi Olivo entre chez elle.

Le chef de la police fait quelques pas en silence, soupire et hoche tristement la tête. Puis il se redresse et déclare avec fermeté :

— Je n'ai pas pu empêcher cet horrible attentat, mais soyez certains qu'un tel crime ne restera pas impuni.

Il se tourne vers les policiers, commande froidement :

— Fouillez cette pièce !

— Mais…. objecte Fantômette, vous pensez que les criminels du Serpent Noir se cachent ici ?

Olivo reste silencieux. Les policiers se mettent à ouvrir les portes des armoires, à fouiller dans les tiroirs. Fantômette hausse les épaules.

— Les assassins ne se cachent sûrement pas là-dedans ! Ou alors, il faudrait qu'ils soient bien petits !

L'un des policiers pousse un cri et agite une liasse de billets qu'il vient de découvrir. Il la tend à Olivo qui les compte.

— … Huit… neuf… dix billets de mille couronnes ! Mademoiselle, pouvez-vous me dire d'où proviennent ces dix mille couronnes ?

Stupéfaite, Fantômette ouvre de grands yeux. Elle s'écrie :

— Comment ? D'où ils proviennent ? Mais c'est vous qui m'avez donné cet argent !

Olivo ricane :

— Vraiment ? Moi ? Je me demande bien pourquoi je vous aurais fait ce cadeau !

— En paiement, pour protéger le prince !

— Quoi ? Quelle est cette invention ? Vous vous moquez de moi, mademoiselle !

À cet instant, un autre policier s'exclame :

— Chef, regardez ! Il y a des bâtons de dynamite dans sa valise… Et des détonateurs !

Olivo pose les poings sur ses hanches et hurle :

— Je m'en doutais que c'était vous ! Vous vous êtes présentée ici en prétendant venir donner des leçons de français au prince, et vous avez mis des explosifs dans la pendule de sa chambre ! Bravo, mes compliments ! Réjouissez-vous, le prince est mort !

D'un revers de main, il fait sauter les lunettes de la jeune fille et projette la perruque blonde sur le sol.

Atterrée, Fantômette comprend enfin dans quelle effroyable machination Olivo l'a entraînée !

Son plan machiavélique apparaît en toute clarté. L'homme qui voulait assassiner le prince, le chef du Serpent Noir, c'était lui ! Il a fait exploser la bombe, et maintenant il accuse Fantômette à sa place, et la jeune fille, confondue par des indices mis exprès dans sa chambre, devient la coupable idéale !

Olivo ordonne aux policiers :

— Arrêtez-la ! Elle sera traduite en justice et fusillée !

Il n'a pas achevé sa phrase que Fantômette bondit vers la fenêtre avec la souplesse d'un léopard, écarte le store et plonge dans la nuit !

chapitre 6

Dans un arbre

— Arrêtez-la ! Ne la laissez pas s'échapper !
hurle Olivo en se penchant au-dehors.

Fantômette, en se jetant par la fenêtre,
est tombée à pieds joints sur la selle d'un
des chevaux appartenant aux policiers. Elle
pique des deux, lançant sa monture au grand
galop à travers la cour. Cinq ou six coups de
revolver sont tirés dans sa direction, mais elle
peut franchir le portail sans être touchée.

Bousculant des badauds attirés par
l'incendie et le bruit de l'explosion, elle fonce
dans le noir droit devant elle, zigzague entre
des voitures qui roulaient sur le boulevard du
Président-Moscatel. Derrière elle, un martè-

lement de sabots sur le pavé domine le ronflement des voitures : la troupe des cavaliers d'Olivo est lancée à ses trousses.

Avisant une masse sombre qui semble être un parc ou un bois, elle y dirige sa monture. Le cheval quitte la chaussée, monte sur le trottoir gazonné, s'engage dans une allée de terre et s'enfonce dans le bois. Dans le dos de la jeune fille, les cavaliers se rapprochent. Deux coups de feu éclatent à faible distance, et Fantômette entend nettement le sifflement d'une balle qui passe près de sa tête.

« Diable ! ça devient sérieux... S'ils me mettent la main dessus, je ne donnerai pas cher de ma petite personne ! »

Un rayon de lune filtrant à travers les frondaisons lui apporte une solution. Il tombe sur une branche basse qui surplombe le chemin. Rapidement, Fantômette se met debout sur la selle, et, lorsque le cheval passe sous la branche, elle l'agrippe en repliant ses jambes. La monture poursuit sa route, tandis que la jeune aventurière reste suspendue à trois mètres du sol. Elle fait un rapide rétablissement, s'allonge à plat ventre sur la branche et attend sans respirer.

Quatre ou cinq secondes après, les policiers passent sous elle à toute allure, cinglant

 66

leurs chevaux, criant et tirant des coups de feu au hasard.

« Ouf ! J'ai bien cru qu'ils allaient me mettre le grappin dessus ! Quel pays ! Ah ! je m'en souviendrai, du Panorama !… »

Elle se redresse, se met à califourchon sur la branche et, en s'aidant des mains, progresse jusqu'au tronc. Puis elle grimpe de quatre ou cinq mètres et s'arrête lorsqu'elle estime que les feuilles la cachent suffisamment. Elle s'installe commodément dans le creux d'un embranchement et s'accorde le temps de réfléchir, de faire le point.

« Me voici la victime de ce qu'on appelle un coup monté. Monté de façon superbe ! Ce Pedro Olivo est un maître ! Il a dû préparer son affaire depuis un bon bout de temps. Voyons… Récapitulons. D'abord, il vient me trouver en France, me fait croire que je vais remplir une mission importante. Et pour me convaincre que la chose est sérieuse, des complices jettent par-dessus le mur du jardin un papier où est inscrite une menace. Je marche dans la combine. Bon. Une fois que je suis installée ici, et que tout le monde m'a vue, il fait allumer un incendie dans le palais. Par qui ? Encore par des complices, évidemment. Je sors de ma chambre, je cours vers le feu… Puis l'explosion se produit dans la chambre du prince. Ce que je ne vois pas très bien, c'est à quel moment les explosifs ont été placés dans la pendule… Pendant la journée ? Peut-être au moment où le prince se trouvait avec moi dans la piscine. Après l'explosion, les infirmiers montent pour enlever le corps de Norberto. Tiens… C'est curieux… »

Elle se gratte le bout du menton.

« L'ambulance a stationné au bas du perron, comme si les infirmiers s'attendaient à intervenir dans cette partie du palais. Alors que, normalement, ils auraient dû venir près de l'incendie… Autrement dit, ils étaient là pour enlever le corps du prince ! Toujours des complices, bien sûr ! Et ce sont eux sans doute qui ont mis les détonateurs dans ma valise, juste avant de redescendre… Olivo n'avait plus qu'à arriver pour me cueillir comme une fleur ! Bravo, mon cher, bien combiné ! »

Elle soupire.

« En attendant, me voilà accusée d'avoir assassiné ce pauvre Norberto… Et je suis seule, sans domicile, sans argent, traquée. Demain, la police de tout le pays sera en alerte, et mon signalement diffusé partout !

Eh bien, ma petite, tu te trouves dans de beaux draps ! »

Au palais, la confusion est indescriptible. Les servantes pleurent la mort de Norberto ; les domestiques et les jardiniers, qui viennent enfin d'éteindre l'incendie avec l'aide des pompiers, apprennent la triste nouvelle et agitent le poing en maudissant Fantômette. Le chef de la police, debout en haut du perron, interpelle la foule qui a envahi la cour :

— Le crime qui vient d'être commis par l'infâme Fantômette sera châtié avec la plus extrême sévérité !

— À mort Fantômette ! À mort Fantômette ! hurle la foule.

Le Premier ministre Anselmo de Paz appuie les paroles de l'hypocrite Olivo.

— La meurtrière n'échappera pas à la juste punition que mérite son geste abominable ! Elle est en fuite pour l'instant, mais toute la population va se lancer à sa recherche, et elle sera prise, condamnée et passée par les armes !

Un peu en arrière, le grand maréchal de la cour se tient très droit, comme toujours. Son visage maigre, sévère, paraît impassible. Aucune émotion ne semble l'avoir atteint. Cependant, si l'on s'était approché de lui, on aurait pu voir une larme couler de son œil. Cet homme d'apparence froide a assez de maîtrise pour dissimuler un terrible chagrin. Intérieurement, il fait le serment de retrouver Fantômette et de lui faire subir les conséquences de son acte criminel. Il s'approche d'Olivo, lui saisit le bras et dit à voix basse :

— Pedro, c'est moi qui commanderai le peloton d'exécution !

Le chef de la police a un léger sourire. Il incline la tête.

— C'est entendu, mon cher maréchal...

Une horloge sonne deux heures du matin. Peu à peu, la foule se disperse. Le personnel du palais regagne les chambres. Les jardiniers rentrent dans les petits pavillons qui leur servent de logis. Les membres du gouvernement montent en voiture et partent. Pedro Olivo serre la main du grand maréchal, se met en selle et disparaît à son tour.

Le grand maréchal rejoint son appartement, au second étage, s'assoit à son bureau et cache son visage entre ses mains.

Puis il éclate en sanglots.

chapitre 7

Retour au musée

Fantômette ouvre les yeux. Elle vient d'être réveillée par des chants, des cris, des piaillements d'oiseaux multicolores qui ont élu domicile dans les arbres.

Elle bâille, s'étire, se secoue, faisant envoler une petite escadrille de volatiles jacassants posés sur une branche voisine. Sa montre indique neuf heures.

— Ma foi, je ne pensais pas qu'on pouvait dormir aussi bien en haut d'un arbre…

Elle tend l'oreille, pour s'assurer qu'aucun bruit inquiétant ne lui parvient ; puis descend jusqu'à la plus basse branche, s'y suspend et se laisse tomber sur la terre du chemin, qui est celui pris par le cheval en fuite.

Après avoir traversé complètement le bois, ce qui lui demande une dizaine de minutes, elle parvient à la lisière, qui borde une partie de la ville d'apparence ancienne. Il n'y a plus là d'immeubles modernes et de larges avenues, mais au contraire une agglomération de petites maisons à balcons et un enchevêtrement de ruelles donnant au quartier un aspect du Moyen Âge.

Sur une place, des marchands empilent à terre des melons jaunes et ovales apportés, au moyen d'ânes bâtés, par les *campesinos,* les paysans des alentours. Un Panoramien, dont l'énorme chapeau ressemble à un parasol, propose aux ménagères des épis de maïs, des bananes et des ananas. Un autre vante à voix haute la merveilleuse qualité de ses galettes parfumées à la noix de coco. Son voisin étale sur le sol un assortiment de ponchos, cette sorte de manteau fait d'une couverture bariolée, percée d'un trou par où l'on passe la tête.

Fantômette s'approche en bordure du marché. À demi dissimulée par un âne, elle regarde les ponchos en réfléchissant.

« Voilà ce qu'il me faut ! Avec un carré

d'étoffe et un large sombrero, je passerai inaperçue. D'ailleurs, je ne peux pas me promener en ville avec mon pyjama… Allons-y ! »

Elle s'engage sur la place, se dirige vers le marchand qui vante sa marchandise :

— Approchez ! Approchez ! Venez voir mes beaux ponchos ! Les couleurs les plus éclatantes pour les dames les plus élégantes ! Entièrement tissés à la main, en laine de la cordillère des Andes ! Approchez ! Approchez !

Fantômette désigne un poncho rouge, jaune et noir.

— Combien, celui-ci ?

— Ah ! il est beau, *señorita* ! Des couleurs splendides ! Il ne coûte que douze couronnes. Mais, comme vous m'avez l'air gentille, je vous le laisserai pour dix…

— Bon, d'accord. Mais je n'ai pas d'argent sur moi. Je peux vous laisser cette montre en gage, si vous voulez…

L'homme fronce le sourcil, examine la montre que lui tend Fantômette, l'approche de son oreille pour s'assurer qu'elle marche, et grogne :

— Bon, d'accord. Je la garde jusqu'à ce que vous m'apportiez dix couronnes.

— Il me faudrait également un sombrero…
Tenez, celui-ci, rouge et blanc…

— Cinq couronnes.

— Bon, je le prends. Pouvez-vous me prêter aussi cent couronnes sur ma montre ?

— Comment ! Vous voulez en plus que je vous prête de l'argent ?

— Et sinon, avec quoi paierai-je mon petit déjeuner ? Vous ne risquez rien, ma montre vaut au moins cinq cents couronnes…

L'homme examine encore la montre d'un œil soupçonneux, puis grogne :

— D'accord, je vous les prête.

Il soulève son chapeau dont la coiffe lui sert de porte-monnaie et donne le billet à Fantômette qui le glisse dans une petite poche de son pyjama et passe sa tête dans le trou du poncho. C'est à ce moment-là que deux policiers à cheval débouchent sur la place. L'un tient à la main un grand pot de colle liquide, l'autre, un rouleau d'affiches. Ils descendent, s'approchent d'un mur en bordure de la place, barbouillent une affiche de colle et la mettent en place. Aussitôt, une nuée de curieux se groupe devant eux pour en prendre connaissance. En énormes lettres noires, le texte annonce :

RÉCOMPENSE
de 10 000 couronnes
pour la capture de
FANTÔMETTE
morte ou vive
coupable d'avoir assassiné notre
bien-aimé prince
NORBERTO

En dessous, on voit une photo de la meurtrière présumée. Photo en gros plan, de face, sans le masque que l'aventurière porte habituellement. Fantômette, qui s'est approchée de l'affiche, en a le souffle coupé, se demandant à quel moment la photo a été prise. Probablement plusieurs mois auparavant, en France. Cela prouve qu'Olivo a préparé son coup depuis longtemps.

Elle s'empresse de se coiffer du large chapeau, en le rabattant sur ses yeux. Derrière elle, une voix s'exclame :

— Dix mille couronnes ! Ça, c'est une somme ! J'aimerais bien les gagner...

C'est le marchand de ponchos. Son regard quitte l'affiche, se pose sur Fantômette. Il lève un sourcil, ouvre la bouche, reste figé. La jeune fille fait rapidement demi-tour et se fraie un passage dans l'attroupement. Un instant après, le marchand éclate :

— Arrêtez-la ! C'est elle, c'est Fantômette ! C'est elle qui a tué le prince ! Empêchez-la de se sauver ! C'est moi qui l'ai reconnue ! J'ai droit à la prime ! Arrêtez-la !

Fantômette se garde bien de ralentir. Courbée en deux, elle se faufile entre les ménagères, les chèvres et les moutons, les piles de bananes ou les paniers d'agrumes, se glisse dans une des ruelles sombres et file en flèche sans regarder derrière elle.

Une rue à droite, une autre à gauche ; des escaliers à descendre, à monter. En quelques minutes, elle est assurée que sa piste est brouillée. Il lui est alors possible de reprendre haleine et de marcher tranquillement. Elle quitte le quartier ancien, traverse de nouveau le bois qui l'a abritée pendant la nuit et s'assoit sur un banc pour réfléchir.

La situation est un peu moins mauvaise, puisque avec son costume local elle ne risque plus guère d'être reconnue, le costume ne figurant pas sur la photo. Mais ce n'est pas encore le salut. Que faire pour démontrer son innocence et démasquer Olivo ? La partie ne va pas être facile !

En attendant de trouver une solution, elle

décide de prendre des forces avec un petit déjeuner, et s'engage dans l'avenue Moscatel où les cafés sont nombreux. En cours de route, elle achète un journal à un jeune vendeur ambulant qui crie :

— Le prince Norberto assassiné ! Tous les détails ! On recherche la meurtrière !

La première page est barrée par un énorme titre :

FANTÔMETTE
ASSASSINE LE PRINCE

Puis :

La meurtrière est activement recherchée par la police. Son arrestation n'est qu'une question d'heures. Les gares, les ports et les aérodromes sont surveillés.

Suivent des détails sur la nuit terrible. On explique comment Fantômette a allumé un feu pour détourner l'attention, mis une bombe à retardement dans la pendule du prince. Comment elle s'est enfuie, « malgré la vigilance de notre chère police, commandée par son admirable chef, Pedro Olivo ». Le journal précise que le malheureux prince est mort sur le coup, et que son corps a été transportée à l'hôpital Hidalgo. Les funérailles doivent avoir lieu le surlendemain. L'article se termine en rappelant l'offre de dix mille couronnes indiquée sur les affiches.

Fantômette hausse les épaules.

« Dix mille couronnes ! Décidément, cette canaille d'Olivo tient à ce chiffre. Un de ces jours, je vais lui faire tomber sur le dos dix mille coups de bâton ! Cela dit, j'ai besoin de reprendre des forces pour me lancer dans la bataille. Allons déjeuner ! »

Elle fait une boule du journal qu'elle lance dans une bouche d'égout, choisit un bar dans l'avenue, entre. Elle se fait servir du café et des tartines de pain grillé à la confiture de groseilles. La confiture est très liquide, et quelques gouttes coulent sur ses doigts. Cette couleur rouge lui rappelle la coupure que Norberto s'est faite au pouce en arrachant le couteau planté dans l'arbre. Il avait du sang sur les doigts, à peu près à la même place, dans le creux de la main gauche…

Alors, à cette seconde précise, une étincelle jaillit dans le cerveau de Fantômette. C'est comme un véritable choc. Un heurt d'images et d'idées. Également, une émotion si violente que la tartine qu'elle tient manque de tomber.

— Combien vous dois-je ? Vite !

Elle paie, sort presque en courant du bar, une flamme dans les yeux. Elle bondit vers une station de taxis proche, saute dans l'un d'eux et crie :

— Au musée Mariscos !

Le ton est si impérieux que le taxi démarre en trombe, manquant de renverser la petite voiture d'un marchand de glaces qui traverse l'avenue. À peine cinq minutes plus tard, le véhicule s'arrête devant le musée. Fantômette règle le prix du trajet et, toujours courant, se précipite vers le guichet. Ticket en main, elle se dirige tout droit vers la salle principale.

L'entrée est barrée par un paravent sur lequel on a accroché une pancarte : « Fermé pour cause de travaux. » Un gardien se tient à côté de la pancarte. Il roule une cigarette.

Fantômette s'approche.

— Monsieur, je suis venue exprès pour voir les personnages en cire… le président Moscatel, le Premier ministre et le prince…

Le gardien secoue la tête.

— Vous avez vu l'écriteau, mademoiselle ? On ne visite pas cette salle.

— Je veux juste jeter un coup d'œil…

— Impossible !

Fantômette fait demi-tour, l'air contrarié.

En réalité, elle jubile ! La fermeture de la salle confirme la découverte prodigieuse qu'elle vient de faire.

Hors du musée, elle hésite une seconde.

« Il s'agit maintenant de contacter une personne appartenant au gouvernement. Quelqu'un en qui je puisse avoir toute confiance, à qui je pourrai exposer mon secret… et qui me viendra en aide. Oui, mais qui ? Je ne peux parler à aucun de ceux qui avaient intérêt à faire disparaître le prince. Ni le président Moscatel, ni son Premier ministre, ni le traître Olivo, bien sûr… Alors, qui reste-t-il ? »

Un nom lui vient à l'esprit. Une silhouette mince, hautaine… un homme dur, cassant et sévère, mais qui paraît profondément honnête : le grand maréchal de la cour.

« C'est lui qu'il faut contacter. Lui, et aucun autre. Il prend un tel intérêt à l'éducation du prince, il s'occupe tellement de lui qu'il n'a certainement pas trempé dans le complot… Cet homme, je dois le rencontrer, et très vite ! »

Mais comment s'y prendre ? Le palais est sûrement envahi par des policiers à la solde d'Olivo. L'accès doit être impossible…

« Bah ! je verrai bien ! Si je me décourageais à la première difficulté, je ne serais pas Fantômette ! »

Elle revient à pied jusqu'au palais royal. Ainsi qu'elle l'a prévu, les grilles sont gardées par une incroyable quantité de policiers en armes. Aucun espoir de passer.

C'est alors qu'une nouvelle idée jaillit dans son cerveau. Une idée tellement simple qu'elle est surprise de ne pas l'avoir trouvée plus tôt.

chapitre 8

L'incroyable complot

— Je sais où est Fantômette !

C'est cette phrase qu'elle lance au visage du brigadier décoré et galonné qui semble diriger le corps de garde.

L'homme sursaute.

— Oh ! vous êtes sûre ?

— Absolument sûre !

— Bon, je vais vous conduire à notre chef.

— Le chef de la police ?

— Oui.

Fantômette secoue la tête négativement.

— Non ! Je veux voir le grand maréchal de la cour.

— Pourquoi ?

— C'est comme ça.

— Alors, je regrette. Je n'ai affaire qu'au *señor* Olivo et à personne d'autre.

La jeune fille médite une seconde, puis prend une décision.

— C'est entendu, menez-moi à votre chef.

Escortée par le brigadier et deux policiers, elle franchit la grille de la cour. Quand le petit groupe se trouve à dix mètres environ du perron, Fantômette s'arrête brusquement, tend le bras en direction des écuries et s'exclame :

— Oh ! il y a de la fumée ! Là-bas !

Les policiers tournent la tête. Le chef demande :

— De la fumée ? Où ça ? Je ne vois pas !

— Mais si ! Près des écuries... C'est un début d'incendie...

Les policiers écarquillent les yeux, mettent leur main en visière sur le front pour mieux protéger leur vue du soleil. Ils aperçoivent bien les écuries, à l'autre extrémité du jardin, mais pas de fumée.

— Je ne vois rien..., dit le chef.

Il se retourne... et pousse un cri. La jeune fille est déjà en haut du perron.

— Elle se sauve ! Vite, prenez-la ! Courez !

Les policiers se ruent vers l'entrée du

 84

palais, traversent le vestibule et s'arrêtent, la multiplicité des couloirs compliquant leur poursuite. Mais le domestique Chaleco, qui déambulait sans but précis, les renseigne.

— Une jeune fille, en poncho, avec un grand chapeau ? Oui, elle vient de monter l'escalier.

Ils continuent leur chasse, se heurtent à une porte à double battant, fermée. Ils commencent à tambouriner dessus à coups de crosse.

De l'autre côté de la porte qu'elle vient de verrouiller, la fugitive continue sa course dans les couloirs. Elle parvient enfin devant la porte du bureau où travaille le grand maréchal de la cour, frappe et entre sans attendre la réponse.

Le grand maréchal est assis à sa table, pensif, le front appuyé sur sa main. Il ne parvient pas à se remettre de la mort du prince, et semble brusquement plus vieux de dix ans. L'intrusion de l'aventurière lui fait lever soudainement la tête. Il demande d'un ton sec :

— Qui vous a permis d'entrer ? Que voulez-vous ?

— Bavarder un peu avec vous.

Et, le plus naturellement du monde, Fantômette retire son large chapeau.

Le grand maréchal pousse un rugissement.

— Fantômette ! Ah ! misérable !

Il ouvre un tiroir de son bureau, y plonge la main et sort un énorme revolver qu'il braque sur la jeune fille.

— Ah ! je te tiens, malheureuse ! Haut les mains ! Je vais pouvoir te faire payer ton crime abominable.

— Entendu, entendu ! fait Fantômette avec calme. Mais pas avant de m'avoir écoutée. Asseyez-vous, cher monsieur, asseyez-vous.

Et, donnant l'exemple, elle prend place dans un fauteuil et croise les jambes avec un parfait sang-froid. Exaspéré, le grand maréchal brandit son arme au risque de la faire partir. Il gronde :

— Dis vite ce que tu as à dire ! Après, ce sera le peloton d'exécution !

— Bon. Je vais commencer, si vous le voulez bien, par le commencement. Le Panorama, m'a-t-on dit, est gouverné actuellement par le président Moscatel. Ses fonctions devaient cesser lors du couronnement du prince Norberto, mais, maintenant que le prince est mort, il va continuer de gouverner, n'est-ce pas ?

— Oui, mais...

 86

— Attendez, monsieur le grand maréchal. Donc, la disparition de Norberto permet à Moscatel d'être chef de l'État en permanence ?

— Sans doute.

— Eh bien, vous ne trouvez pas ça bizarre ? Juste avant le couronnement, le prince meurt. Ça arrange bien les affaires de Moscatel, non ?

Le grand maréchal devient rouge de colère.

— Comment ! Voilà maintenant que vous accusez notre cher président Moscatel du crime que vous avez commis ! Ça suffit ! Je vous ai assez entendue ! Debout !

Fantômette pousse un soupir.

— Ah ! ce que vous pouvez être soupe au lait ! Attendez un peu, je n'ai pas fini… Écoutez, savez-vous que Norberto et moi avons lancé des couteaux dans un arbre, hier matin ?

— Non. Mais quel intérêt ? Vous êtes en train de chercher à me raconter des histoires absurdes pour vous en tirer !

— Pas du tout ! Je dis donc que le prince a lancé des couteaux dans un arbre et qu'en voulant les arracher il s'est coupé la main assez profondément. Je lui ai fait un pansement.

— Alors ?

— C'est le premier point de la démonstration que je veux vous faire. Deuxième point maintenant. Juste après que l'attentat s'est produit, vous étiez bien sur les marches du perron, n'est-ce pas ?

— Oui.

— Et vous avez vu passer le prince devant vous, couché sur le brancard.

— Évidemment.

— Bon. Alors, vous avez pu remarquer que sa main gauche ne portait aucun pansement ?

— Heu... Non, je n'ai pas remarqué. Il était couvert de sang, et il est passé si vite...

— Eh bien, moi, j'ai remarqué. Ou plus exactement, je n'y ai pas fait attention sur le moment, mais en réfléchissant à la chose ce matin, je vois encore la scène gravée dans ma mémoire comme une photographie. Je vous garantis qu'il n'avait ni pansement, ni blessure à la main.

— Vous avez mal vu.

— Soit. Mais alors, donnez-moi une explication pour un autre phénomène qui s'est produit dans cette ville. Dites-moi pourquoi l'effigie en cire qui représente le prince au musée Mariscos a disparu ?

— Heu… Je n'en sais rien !

— Ah ! vous n'en savez rien, monsieur le grand maréchal ? Eh bien, moi, je sais ! Je sais ce qu'on en a fait de cette statue de cire…

— Quoi donc ?

— On l'a mise à la place du prince !

Comme elle achève ces mots, de violents coups sont frappés à la porte. Des voix crient :

— Police ! Ouvrez ! Fantômette, rendez-vous ! Vous êtes prise.

Le grand maréchal a une seconde d'hésitation. Faut-il laisser entrer la police pour lui permettre de capturer la jeune fille ? Cependant, ce qu'elle vient de lui révéler paraît si extraordinaire qu'il a envie de savoir la suite. Et ce qu'il devine déjà, ce qu'il n'ose espérer et qui lui fait passer dans le dos un frisson de joie inouïe, l'incite à repousser les policiers.

Il crie :

— Allez-vous-en ! Je suis occupé !

De l'autre côté de la porte, il y a des protestations, mais le grand maréchal menace :

— Si vous ne filez pas, je ferai mon rapport à Olivo !

Les policiers se retirent, et la conversation peut reprendre. Le grand maréchal presse Fantômette de questions :

— La figure de cire à la place du prince ? Mais pourquoi ? Et comment cela a-t-il pu se faire ? Norberto serait vivant, alors ?

— Oui, il est probablement en vie.

Le vieil homme prend un mouchoir, s'éponge le front en se laissant tomber sur un fauteuil. L'émotion le terrasse.

— Vivant ! Est-ce possible ? Est-ce possible ?

— Mais oui. Suivez bien mon raisonnement. Je pense avoir reconstitué à peu près le fil des événements. Le président Moscatel veut se débarrasser du prince, ou du moins faire croire qu'il a été assassiné, ce qui revient au même. C'est Pedro Olivo qui est chargé d'organiser le faux complot. Il me fait venir ici à la vue de tout le monde, en me présentant comme une sorte de professeur. En fait, c'est moi qui devrai endosser la responsabilité de l'attentat.

— Mais pourquoi vous a-t-il choisie plutôt qu'une autre ou qu'un homme par exemple ?

— Parce que j'ai la réputation de vivre des aventures dangereuses, d'être mêlée à des cambriolages, des vols ou des attentats. Pour combattre les malfaiteurs, sans doute. Mais il est certain que mon nom est toujours dans les journaux à la page des faits divers criminels. De là à me faire passer pour une criminelle, il n'y a qu'un pas.

— Bon, poursuivez.

— Donc, une fois que je suis installée au palais, Moscatel déclenche le mécanisme du faux complot. D'abord, il charge un de ses hommes d'allumer un incendie à une extrémité du palais. Pendant ce temps, deux autres complices déguisés en infirmiers arrivent avec une ambulance qui contient le mannequin de cire retiré du musée. Ils profitent de la confusion pour monter ce mannequin à l'étage, enlever le prince et le cacher dans l'ambulance.

— Norberto ne se serait pas débattu ? Il n'aurait pas cherché à s'échapper ?

— Je l'ignore. Peut-être a-t-il été drogué auparavant. C'est même l'explication la plus logique, car il ne s'est pas réveillé quand l'incendie s'est déclaré. Sinon, il se serait mis à la fenêtre, comme je l'ai fait.

— Donc, vous pensez qu'il a été dissimulé à l'intérieur de l'ambulance ?

— C'est évident. Les faux infirmiers sont

ensuite remontés dans ma chambre où ils ont caché des explosifs pour me compromettre, puis ils ont arrosé le mannequin de cire avec un liquide rouge, ont fait éclater une bombe et sont redescendus en portant ce qui paraissait être le corps de Norberto.

Le grand maréchal passe une main longue et maigre sur son front.

— J'avoue que j'ai peine à vous croire ! Tout cela me semble si fantastique… Et cependant vos explications sont logiques… Mais dites-moi, où se trouve le prince, maintenant ?

— Ah ! ça, je l'ignore ! Tout ce que je peux affirmer, c'est qu'il n'est pas à l'hôpital Hidalgo, comme les journaux l'ont annoncé.

— Sans doute. Mais Pedro Olivo le sait, lui. Si nous le lui demandions ?

Fantômette sourit.

— Si le chef de la police soupçonne que vous êtes au courant de ce que je viens de vous révéler, savez-vous ce qu'il va faire ?

— Quoi donc ?

— Il va vous arrêter. Sous n'importe quel prétexte. Il prétendra que nous sommes tous les deux complices. Et vous vous retrouverez entre les murs d'une prison.

— Comment ? Me faire arrêter, moi ?

— Bien sûr ! Il dispose d'hommes armés, prêts à tout. Dès maintenant, vous courez autant de dangers que moi !

Le grand maréchal se mord les lèvres. Fantômette a raison. S'il tente de révéler la culpabilité d'Olivo, on l'arrêtera, on le fera taire.

— Soit. Agissons de concert. À votre avis, que faut-il faire ?

— Retrouver la trace du prince. Nous savons que l'ambulance s'est rendue à l'hôpital Hidalgo. C'est là qu'il faut aller. Mais avant, il nous faut sortir d'ici. Et ça risque d'être difficile. Vous pouvez franchir les grilles, pas moi…

Elle regarde à travers la fenêtre. La cour est bourrée de policiers. Il semble en venir de plus en plus.

— Dites-moi, monsieur le maréchal, n'existe-t-il pas dans ce palais quelque passage secret, quelque souterrain qui me permettrait de m'échapper ?

— Oh ! non. En tout cas, pas à ma connaissance. C'est un édifice tout à fait normal et non un décor de cinéma.

— Dommage… Alors, nous allons agir autrement. Avez-vous une voiture ?

— Oui. Le gouvernement a mis à ma disposition une Rolls-Royce et un chauffeur.

— Parfait ! Pouvez-vous demander à ce chauffeur d'amener la voiture devant le perron ?

— Certainement. Vous pensez pouvoir quitter le palais de la sorte ?

— Je l'espère.

— Mais pour aller jusqu'à la voiture ?…

— Je crois que j'ai une idée. Appelez le chauffeur.

Le grand maréchal décroche le téléphone qui le met en communication avec la partie du palais où se trouve le garage des voitures officielles. Quelques instants après, la voiture s'arrête silencieusement au bas des marches. Après avoir observé son arrivée par la fenêtre, Fantômette annonce :

— Maintenant, nous tentons le coup ! Prenez le revolver et braquez-le sur mon dos. Je vais sortir de cette pièce les mains en l'air.

— Comment ?

— Je suis Fantômette, n'est-ce pas ? Vous venez de me faire prisonnière et vous me conduisez tout droit en prison. Les policiers ne pourront que nous laisser passer. Allons-y !

Ce plan est réalisé à la lettre. Fantômette

sort du bureau, sous la menace du grand maréchal qui crie :

— Je te tiens, maudite Fantômette ! En prison ! En prison tout de suite ! Tu vas payer cher ton crime !

Un peu ébahis, les policiers qui attendaient dans les couloirs escortent le grand maréchal et sa fausse prisonnière jusqu'à la voiture qui démarre aussitôt. Les grilles s'ouvrent pour la laisser passer, pendant que la nouvelle vole déjà de bouche en bouche : Fantômette vient d'être arrêtée !

Sur la piste

— Firmin ! À l'hôpital Hidalgo, vite !

La Rolls-Royce traverse Alcachofa et ses faubourgs, s'élance sur une route droite, plate, qui coupe en deux le désert. Elle parcourt une vingtaine de kilomètres, ralentit pour franchir le village de Los Pimientos et s'arrête cinq cents mètres plus loin, devant un grand bâtiment blanc.

— Nous y voilà. Entrons.

L'infirmière du service de garde court prévenir le directeur qui accourt aussitôt, et serre la main des visiteurs.

— Ah ! monsieur le grand maréchal, quel malheur ! Quel malheur terrible pour notre pays ! Quand on m'a amené ce pauvre garçon, il était trop tard ! Je n'ai rien pu faire pour lui, hélas !

— Comment se fait-il, demande Fantômette, qu'il ait été transporté ici et non dans un hôpital plus proche du palais ?

Le directeur hésite une seconde.

— C'est que… Voyez-vous, M. Pedro Olivo a sans doute pensé que heu… cela éviterait des attroupements près de l'hôpital. Ici, nous sommes plus loin, et les curieux ont été peu nombreux.

Le grand maréchal demande :

— Pourrions-nous voir Son Altesse ? Je désire m'incliner devant sa dépouille mortelle…

Le directeur hoche la tête.

— Je regrette, monsieur le maréchal, mais c'est impossible… Les employés des pompes funèbres heu… sont venus heu… il y a une heure et ont mis le corps dans un cercueil.

— Bien, bien. Je vous remercie. Permettez-nous de prendre congé.

Pendant que le directeur répond aux questions qu'on lui pose, Fantômette regarde autour d'elle, d'un air indifférent. À travers les grandes baies vitrées du rez-de-chaussée, elle aperçoit une ambulance qui stationne à l'arrière du bâtiment. Deux hommes, armés de lances d'arrosage, sont en train de la laver pour retirer l'épaisse couche de poussière rougeâtre dont elle est couverte. Ces deux hommes, ce sont les brancardiers qui ont enlevé le prince.

Sur le moment, Fantômette ne fait aucune réflexion. Mais, quand l'auto s'est remise en route et que le grand maréchal ordonne au chauffeur de retourner vers Alcachofa, elle s'y oppose.

— Non ! ne revenons pas à la ville. Poursuivons à travers le désert.

— Pourquoi donc ?

— Vous n'avez donc pas aperçu l'ambulance ? Elle a fait récemment un long trajet sur une piste. Y a-t-il dans la région un endroit où l'on trouve une poussière brun-rouge ?

— Oui. Les montagnes Rouges, justement. On les nomme ainsi à cause de la couleur du sol. Vous les apercevez d'ici. C'est ce massif, à l'horizon.

— Allons-y ! Ils ont dû amener le prince là-bas !

Pedro Olivo se frotte les mains. Son téléphone vient de lui apprendre une bonne nouvelle : le grand maréchal a arrêté Fantô-mette.

« Excellent ! Ce vieil idiot a fait le travail à ma place ! Je demanderai au président Moscatel de le décorer. La médaille de la naïveté lui irait très bien, ha, ha ! »

Il allume un cigarillo, prend sa casquette et quitte son bureau.

— Et maintenant, allons à la prison, puisque c'est là que Fantômette a été conduite. Brigadier !

— Chef ?

— S'il y a des communications téléphoniques, transmettez-les-moi à la prison.

— Oui, chef.

Il monte dans sa voiture, se fait conduire à la maison d'arrêt d'Alcachofa, un peu en bordure de la ville. Là, une déception l'attend. Fantômette n'est pas encore arrivée.

— C'est curieux, ça ! La voiture du grand maréchal devrait être là depuis longtemps.

Il téléphone au palais, où l'officier de garde lui confirme le départ de Fantômette. Il raccroche, soudainement inquiet.

— Qu'a-t-il bien pu se passer ?

Il commence à chercher des explications, quand la sonnerie retentit. Le brigadier secrétaire le met en communication avec l'hôpital Hidalgo.

À l'autre bout du fil, la voix du directeur de l'hôpital exprime l'inquiétude.

— Olivo ? Ils sont venus ici. Ils m'ont posé des questions et ont voulu voir le corps. Je leur ai raconté que c'était impossible.

— Ensuite ?

— Ils sont repartis.

— Bon ! Je vais les voir revenir ici ?

— Non ! Ils ont pris la direction des montagnes Rouges…

— Mille tonnerres !

Olivo raccroche d'un coup sec.

— Ah ! les canailles ! Ils ont deviné ! Maintenant, il va falloir leur courir après !

Il sort de la prison, remonte dans sa voiture et ordonne :

— Au camp d'aviation !

Après dix minutes de course folle, l'auto stoppe devant le terrain d'aviation militaire de la ville. Olivo se présente chez le commandant.

— Il me faut un hélicoptère, vite !

Le commandant a un petit rire.

— Dites plutôt l'hélicoptère. Nous n'en avons qu'un.

— J'en ai besoin tout de suite !

— Ça va être difficile. Il est en révision. Enfin, je vais voir ça.

L'officier prend son téléphone, appelle l'atelier, raccroche.

— Le travail sera terminé dans trois ou quatre heures.

— Je ne peux pas attendre ! Il faut que je parte tout de suite.

— Pour aller où, mon cher Olivo ?

— Dans les montagnes Rouges. C'est très pressé.

— Écoutez, je vais dire à mes mécaniciens de se dépêcher, mais c'est tout ce que je peux faire… En attendant, venez donc prendre un verre de tequila au bar. Ça vous rafraîchira. Car je sens que vous allez éclater, mon cher, comme une grenade trop mûre !

La Rolls-Royce roule maintenant depuis plus d'une heure. La belle route goudronnée qui mène à l'hôpital a pris fin après quelques kilomètres pour céder la place à une piste poussiéreuse, cahoteuse, irrégulière, percée d'une multitude de nids-de-poule qui soumettent la suspension à rude épreuve.

Les montagnes ne semblent guère vouloir se rapprocher. Au contraire même, on a l'impression qu'elles reculent. Effet d'optique sans doute, dû à l'air surchauffé. Cette chaleur qui commence à se faire vivement sentir à l'intérieur du véhicule incommode quelque peu le grand maréchal qui ne cesse de s'éponger le front. Il grogne :

— Mille démons ! Je donnerais bien dix couronnes pour avoir un verre d'eau !

— Un peu de patience, monsieur ! Nous allons sûrement trouver un café dans quelque bourgade…

Trois kilomètres plus loin, le grand maréchal s'exclame :

— Quelle fournaise ! Je donnerais volontiers cent couronnes pour un verre d'eau !

À mesure que l'heure de midi approche, le désert devient de plus en plus clair, presque blanc, éblouissant. Les lézards se cachent sous les pierres qui, elles, ne peuvent pas faire autrement que de rester en plein soleil. Le maréchal s'éponge encore une fois le front en gémissant :

— Ah ! j'offrirais bien mille couronnes en échange d'un verre d'eau !

Quelques instants plus tard, la voiture atteint un village et s'arrête devant un petit bar qu'ombragent des palmiers. Les trois passagers descendent et se font servir des bières bien fraîches. Au moment de payer, le grand maréchal crie au garçon qui a apporté les boissons :

— Comment ? Une demi-couronne pour un vulgaire verre de bière ! C'est un scandale ! C'est du vol ! Je ne remettrai jamais les pieds ici !

On reprend la route. Quelques minutes plus tard, la voiture atteint la zone des poussières rouges arrachées au flanc des montagnes par l'érosion. Mais il faut encore une demi-heure de trajet difficile pour parvenir à un village, El Piropo, construit au pied de la montagne. Là s'achève la piste. Les passagers abandonnent la voiture, interrogent des gamins. Oui, une ambulance est venue au village très tôt le matin. Un blessé a été débarqué. On l'a emmené dans la montagne sur un *burro* (un âne). Deux policiers armés l'accompagnaient.

Le grand maréchal pousse un soupir de satisfaction.

— Vous aviez raison, ma chère, nous suivons bien la bonne piste. Mais comment savoir maintenant à quel endroit de la montagne se trouve le prince ?

— Le muletier qui a loué l'âne le sait peut-être.

Les gamins indiquent la maison – la

cabane plutôt – du muletier. Le chauffeur Firmin reste près de la voiture, pendant que Fantômette et le maréchal entrent chez l'homme. Dès qu'il entend parler du blessé et des policiers, il recule dans un coin en s'écriant :

— Je ne sais rien ! Je ne peux rien dire ! Allez-vous-en, je vous en prie !

Le grand maréchal fronce un sourcil.

— Tu vas nous dire tout de suite où le blessé a été emmené, sinon ça va te coûter cher !

L'homme joint les mains, supplie :

— Je ne peux pas parler ! Sinon ils me tueront !

Le maréchal reprend tranquillement :

— Bon. Eh bien, moi, je vais te dire aussi quelque chose. Si tu ne parles pas, je te tue !

Et il lui met son revolver sous le nez. L'homme, affolé, tombe à genoux.

— Non, ne tirez pas ! Songez que j'ai dix enfants en bas âge !... ou que je pourrais les avoir...

— Alors, parle !

Par phrases hachées, l'homme révèle que les deux policiers sont montés jusqu'à la Cueva de la Aguila (la caverne de l'Aigle), une habitation creusée à même le roc, habitée autrefois par des troglodytes. Pour y accéder, il faut faire l'ascension de la montagne, puis franchir une faille sur un étroit pont de bois. Il indique le sentier escarpé qui y mène. Le grand maréchal rengaine son revolver et se tourne vers Fantômette.

— Eh bien, ma chère, allons-y !

Il enfonce d'un coup de poing sa casquette galonnée, ouvre ses jambes en compas et s'engage résolument sur le sentier.

chapitre 10

Le tonneau

— Vous les voyez, Fantômette ?

— Oui, je les vois. Ils ne sont que deux.

— Deux en effet, mais bien armés. Ils ont des mitraillettes.

Dissimulés derrière un rocher, Fantômette et le grand maréchal observent l'entrée de la caverne qui s'ouvre à cent mètres d'eux, dans le flanc de la montagne, au-delà d'un ravin. Pour aller à la caverne, il y a le pont dont a parlé le muletier. Une étroite planche de bois accrochée à deux cordes qui sert de garde-fou. Un pont volant idéal pour des chimpanzés, mais qui a l'air aussi peu engageant que possible pour des êtres humains.

Le grand maréchal considère la légère construction en faisant une grimace qui aurait été comique en d'autres circonstances. Il passe un mouchoir trempé sur son front en murmurant :

— Ah ! je crois que nous ne sommes pas encore au bout de nos peines !

Il a pourtant accompli vaillamment l'ascension, sans offrir des sommes astronomiques pour des verres d'eau hypothétiques ! À côté de lui, Fantômette rejette en arrière son large chapeau, se caresse le menton et cherche par quel moyen il serait possible de faire sortir les policiers de la caverne pour délivrer le prince.

À force de chercher, elle finit par trouver.

— Il faut toujours employer ce vieux truc de la diversion. Détourner l'attention des gardes. Voici ce que je propose…

Le grand maréchal écoute attentivement le plan de Fantômette et fait la moue.

— Hum ! La ruse que vous avez imaginée n'est pas très loyale…

— Nous n'avons pas le choix. Préférez-vous que le prince reste prisonnier ?

— Non, non !

— Alors, pas d'hésitation !

— Bien.

Il quitte l'abri du rocher, s'avance jusqu'au bord du précipice, met ses mains en porte-voix et crie :

— Ohé, ohé ! la garnison !

Les deux gardes apparaissent à l'entrée de la caverne, saluent le grand maréchal qui crie :

— Je suis envoyé par Pedro Olivo en personne. Il me charge de vous dire qu'il est très satisfait de vos services et qu'il vous offre un tonneau de tequila pour vous récompenser...

Les deux hommes sautent de surprise et de joie. Ils s'écrient :

— Voilà ! Voilà ! Nous venons, monsieur le grand maréchal !

L'un derrière l'autre, ils traversent l'étroit pont et suivent le maréchal qui les entraîne en disant :

— Le tonneau est sur un âne, cent mètres plus bas. Par ici, par ici...

Ils passent devant le rocher qui sert de cachette à Fantômette, contournent un épaulement de la montagne et disparaissent. Aussitôt, l'aventurière se précipite vers le pont, le franchit sans éprouver le moindre vertige et atteint l'entrée de la caverne.

Au bout de quelques secondes, ses yeux

s'habituent à la pénombre. La caverne de l'Aigle est une excavation artificielle, une salle creusée dans la montagne, uniquement éclairée par la porte qui constitue la seule ouverture. L'ameublement est des plus sommaires. Une petite table en bois et un banc. Dans un coin, quelques ustensiles de cuisine, une caisse, des bouteilles vides. Dans l'autre angle, allongé sur le sol nu et soigneusement ficelé, le prince Norberto semble dormir.

Fantômette s'approche de lui, le secoue en criant :

— Réveillez-vous, Prince au bois dormant ! Voilà la princesse qui vient vous délivrer !

Elle prend un couteau sur la table, se met en devoir de couper les liens. Norberto ouvre de grands yeux.

— Fantômette ! Vous, ici ! Comment avez-vous fait pour retrouver moi ?

— Trop long à vous expliquer ! Comment vous sentez-vous ? Ça va ? Vous pouvez marcher ? Très bien ! Alors, direction : la sortie !

Avant de quitter la *cueva*, elle a la curiosité de jeter un coup d'œil sur la caisse en bois. Elle contient des grenades.

— Tiens ! Voilà le genre d'objet qui peut nous être utile, en ce moment.

Elle en met une sous la coiffe de son chapeau (à la manière du marchand d'habits qui
cachait son argent sous le sien), garde l'autre
grenade à la main et sort derrière le prince
qui s'engage sur le pont.

En face, le terrain est libre. Le grand
maréchal doit entraîner les gardes le plus
loin possible…

La traversée du pont se fait sans encombre.
Dès que le ravin est franchi, Fantômette et le
prince se dissimulent sous le rocher, en attendant le retour du grand maréchal. Le prince
profite de ce répit pour expliquer ce qui lui
est arrivé.

La veille au soir, juste après que la jeune
fille l'a eu quitté, on a frappé à la porte de sa
chambre. Malgré la recommandation qui lui
avait été faite, il a ouvert. C'était le domestique Chaleco, qui apportait une tisane. Il
avait remarqué que le prince s'était blessé à
la main et a prétendu que cette tisane acti-
verait la cicatrisation de la plaie.

— J'ai eu tort de ne pas me méfier assez.
Il y avait un somnifère dans la tisane. Elle a
endormi moi… Heu… non, elle m'a endormi.
Et je me suis réveillé ici, dans la *cueva*. Que
s'est-il passé pendant ce temps ?

Le prince est stupéfait d'apprendre qu'il a

été assassiné, et que sa meurtrière se nomme Fantômette !

Comme cette dernière achève de le mettre au courant de la situation, la voix du grand maréchal se fait entendre. Il dit :

— Messieurs, je n'y comprends rien ! Absolument rien ! J'avais laissé l'âne à cent mètres d'ici... Il est sûrement redescendu dans la vallée... Ah ! j'aurais dû l'attacher... Je suis désolé... Et je dirai à Pedro Olivo de vous envoyer un autre tonneau de tequila...

Très déçus et assez mécontents, les deux gardes esquissent un vague salut et traversent de nouveau le pont pour regagner la caverne. Fantômette bondit hors de sa cachette et, d'un signe, commande au grand maréchal de s'éloigner. En même temps, elle fait quelques pas à découvert en direction du ravin. Les deux gardes atteignent l'entrée de la *cueva*, poussent des cris de surprise en constatant la disparition de leur prisonnier. À la seconde où ils se retournent, Fantômette dégoupille sa grenade et la lance de toutes ses forces vers le centre du pont, puis se jette à plat ventre sur le sol.

Il y a un éclair orangé, un énorme nuage noir, et le grondement de l'explosion se répercute contre les parois du ravin, dans lequel dégringolent les débris du pont coupé en deux.

Fantômette se relève et donne le signal de la retraite. Quand les gardes ont retrouvé assez de présence d'esprit pour ouvrir le feu, les trois fugitifs sont déjà hors d'atteinte.

— Alors, il est prêt, cet hélicoptère ? demande Olivo avec impatience.

Le chef mécanicien s'essuie les mains à un chiffon.

— Bah ! Il y en a bien encore pour une bonne heure…

— Ah ! ça n'avance pas ! Toutes les pièces ont l'air d'être remontées pourtant !

— Oui, *señor* Olivo, mais il faut maintenant faire des vérifications pour s'assurer que tout fonctionne correctement…

— Hé ! que m'importent les vérifications ! Décollons tout de suite ! Prévenez le pilote !

Le mécanicien hausse les épaules.

— C'est comme vous voudrez. Mais, s'il y a un accident, tant pis pour vous ! Je vous aurai prévenu.

— Je prends tout sur moi. Vite, dépêchons-nous !

Le pilote fait les mêmes réserves que le mécanicien, mais Olivo ne veut rien entendre, et, quelques instants plus tard, l'hélicoptère prend son envol dans un bourdonnement assourdissant. Il pique droit sur les montagnes, longeant la route qui mène à l'hôpital Hidalgo. Il le dépasse, atteint la région des terres rouges, puis prend de la hauteur pour survoler la montagne. Quelques minutes plus tard, il s'immobilise au-dessus du pont brisé. Le chef de la police serre les poings.

— Tonnerre de pastèque ! Le pont est détruit ! J'ai bien peur que cette maudite Fantômette ne soit arrivée avant moi. Ah ! J'aperçois les gardes qui font de grands signes… Que veulent-ils ?… Posons-nous au bord du ravin.

L'hélicoptère atterrit à peu près à l'endroit d'où Fantômette a jeté sa grenade. Olivo met les mains en porte-voix et crie :

— Que s'est-il passé ?

Les gardes expliquent rapidement que le prince s'est échappé grâce à des complices qui ont violemment attaqué la *cueva*. Ils se gardent bien de parler du tonneau de tequila. Olivo traite les gardes d'imbéciles et de bons à rien.

— Puisque c'est comme ça, restez donc où vous êtes !

Atterrés, ils assistent au départ de leur

chef qui les abandonne, bloqués dans leur trou par la disparition du pont.

L'hélicoptère reprend son vol et descend dans la vallée. Olivo donne l'ordre au pilote de survoler la route qui revient vers la capitale. Au bout de cinq minutes apparaît un nuage de poussière, produit par une longue voiture noire.

Un sourire mauvais éclaire le visage du chef de la police.

— Les voilà ! Je reconnais la Rolls du grand maréchal ! Ah ! vous avez voulu me jouer un tour ? Vous vous croyez plus malins qu'Olivo ? Voilà qui mérite une petite leçon…

Il se baisse, prend sous son siège une mitraillette et ricane.

— Belle cible ! Nous allons assister à un beau feu d'artifice ! Approchons-nous encore un peu.

Le pilote désigne un compteur sur le tableau de bord.

— Chef ! La turbine ralentit ! Quelque chose ne va pas…

— Hein ? Qu'est-ce que tu dis ?

— Le carburant ! Nous n'avons plus de carburant ! Il doit y avoir une fuite dans les canalisations… Elles ont été remontées en hâte et on n'a pas eu le temps de vérifier…

— Tonnerre de pastèque ! Avance un peu ! Ils vont nous échapper !

— Impossible, chef ! Il faut que nous nous posions tout de suite.

Par la force des choses, le pilote est contraint d'atterrir, tandis que la voiture en profite pour s'échapper et disparaître à l'horizon. Bouillant de rage, Olivo sort de la cabine, jette à terre sa casquette et la piétine au point de la rendre totalement méconnaissable !

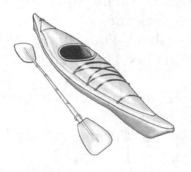

chapitre 11

La démission de Moscatel

Les passagers de la voiture ont observé l'approche de l'hélicoptère avec une inquiétude grandissante. Le prince, qui se penche à l'extérieur pour mieux voir, rentre brusquement la tête.

— C'est Olivo ! Il va nous tirer dessus avec mitraillette !

Instinctivement, tous courbent les épaules en attendant le claquement des balles. Mais rien ne se produit. En regardant par la vitre arrière, ils constatent avec surprise et soulagement que l'appareil se pose.

— Que leur est-il arrivé ? s'exclame

Fantômette. Ils renoncent à nous attaquer ?
À moins qu'ils ne soient en panne ?

— Aucune importance, dit Norberto. Ce qui compte, c'est que nous leur ayons filé entre les pieds… les pattes… Hum ! Tu vas continuer à me donner des leçons de français, n'est-ce pas ?

— Attendez que nous soyons en sûreté ! grogne le grand maréchal. La partie n'est pas terminée. Il faut mettre Votre Altesse à l'abri d'un nouvel attentat.

— Vous avez une idée ? demande Fantômette.

— Bien sûr ! Nous allons cacher le prince dans l'auberge que tient un de mes amis, don Pacheco. Il y sera en sûreté. Je pourrai même donner l'adresse aux différents professeurs, afin que les cours se poursuivent. L'interruption d'aujourd'hui n'était pas prévue dans le programme. Il est 4 h 15 de l'après-midi, et Son Altesse devrait être en train d'étudier l'histoire naturelle depuis un quart d'heure.

Norberto lève les yeux au ciel, soupire et regarde d'un air triste Fantômette qui a du mal à garder son sérieux.

Une heure et demie plus tard, l'auto entre dans Alcachofa, se dirige dans le quartier du marché – désert à cette heure – et s'arrête devant une auberge dont l'enseigne peinte représente un animal noir, vaguement cornu, gratifié de l'inscription *La Cabra Negra*, c'est-à-dire La Chèvre Noire.

Les passagers de l'auto entrent, salués bien bas par l'aubergiste qui échange un clin d'œil avec le grand maréchal. Des boissons fraîches désaltèrent nos héros qui se sont quelque peu desséchés dans le désert. Le maréchal prend l'hôte à part et dit à voix basse :

— Don Pacheco, vous avez vu qui je vous ai amené ?

— Certainement. Quelqu'un que tout le monde croit mort…

— Eh bien, mon cher Pacheco, il faut que pendant un certain temps encore cette croyance persiste. Vous avez une chambre à part, où ce jeune homme pourrait être logé discrètement ?

— Bien sûr. J'ai ce qu'il faut.

— Je compte sur votre discrétion…

— N'ayez crainte, je suis muet comme un tombeau aztèque !

Satisfait, le grand maréchal revient vers les jeunes gens.

— Il s'agit maintenant de mettre au point un plan d'attaque. Nous devons forcer le président Moscatel à reconnaître que le meurtre du prince n'était qu'un coup monté. Après quoi, il n'aura plus qu'à abdiquer. Mais comment nous y prendre ?

Fantômette sourit.

— Rien de plus facile. Je vais trouver Moscatel, je lui mets sous le nez un papier et un stylo, je lui dis de signer son abdication. Et voilà !

— Ah ! vous croyez qu'il va vous laisser faire, ma chère ?

— Pourquoi pas ? Nous savons que le prince est vivant, puisque le voilà devant moi en train de boire du soda à l'orange. Nous savons où il se trouve, alors que Moscatel l'ignore. Que voulez-vous que je craigne ?

— Heu... Moscatel peut encore vous faire fusiller.

— Dans ce cas, il suffira que le prince se montre en public, et on verra tout de suite que la Fantômette qui vous parle n'est pas coupable. N'est-ce pas ?

— Eh bien... présenté sous cet angle, le problème...

— ... est résolu ! C'est dit, je vais chez Moscatel. Où habite-t-il, ce gredin ?

— Dans sa résidence d'été, en bordure de la ville.

— J'y vais !

— Je vous accompagne.

— Inutile, monsieur le maréchal. Restez plutôt auprès de Norberto pour veiller sur lui.

— Vous avez raison. Mon chauffeur va vous emmener chez le président. Bonne chance !

— Merci. Je serai de retour dans une heure.

— Je l'espère, je l'espère !...

Fantômette s'assure que son large chapeau tient bien sur sa tête, grimpe dans la voiture et se fait conduire à la villa qu'occupe le président du Panorama.

Devant la clôture, des policiers montent la garde. Avec une tranquille assurance, la jeune fille s'approche d'eux, demande à voir Moscatel. Un des policiers ricane :

— Ah ! La *señorita* veut voir notre président ? Sans doute la *señorita* a-t-elle pris un rendez-vous ?

— Non, c'est inutile. Quand le président saura qui je suis, il me recevra tout de suite.

— Vraiment ! Et qui êtes-vous donc ?

— Fantômette.

Le policier sursaute, examine de plus près cette jeune fille dont le poncho et le grand chapeau dissimulent l'apparence physique. Il s'exclame :

— *Madre de Dios* ! C'est bien le visage qui est sur les affiches !… Fantômette, je vous arrête !

— C'est ça, arrêtez-moi. Et profitez-en pour me conduire à votre président.

Quelques instants plus tard, l'aventurière comparaît devant le chef de l'État.

Allongé sur un sofa, dans un vaste salon de style tropical, un gros homme en bras de chemise boit du whisky-soda en s'éventant au moyen d'un petit ventilateur portatif. Il examine la nouvelle venue d'un œil aigu, fait signe aux policiers de se retirer et offre un siège.

— Asseyez-vous, jeune personne. Un whisky ? Non ? Un verre d'eau pétillante, alors ?

Fantômette prend le verre, s'assoit sur un fauteuil de rotin et attend tranquillement la suite des événements.

— Vous ne voulez pas retirer votre chapeau ? demande Moscatel.

— Non, je le garde. Il maintient mes cheveux.

— Comme vous voudrez.

Il boit une gorgée, allume un havane, lance une bouffée au plafond et dit en souriant :

— Je suis ravi de faire votre connaissance. Il y a longtemps que j'avais envie de vous voir. Dites-moi, est-ce vrai, tout ce que l'on raconte de vous ? Il paraît que vous êtes la terreur des bandits, des voleurs… que vous avez provoqué l'arrestation de je ne sais combien de malfaiteurs ?

— Cela m'est arrivé, en effet.

— Bravo ! Mes compliments. Je vous admire. Et je regrette aussi qu'une telle carrière doive s'achever si vite. L'assassinat du prince Norberto aura été le dernier de vos exploits.

Fantômette sourit.

— Vous savez aussi bien que moi que le prince n'a pas été assassiné.

— Je le sais, oui. Mais je suis le seul, ou presque. Tous les habitants du Panorama sont persuadés du contraire. Vous allez donc être livrée à la justice, chère Fantômette, et fusillée demain matin. Croyez bien que je le regrette, mais c'est ainsi.

— Je vois que vous avez le sens de l'humour…

— Pas du tout. Je n'ai jamais parlé aussi sérieusement.

— Soit. Soyons sérieux.

Fantômette se lève, prend, sur un petit secrétaire qui occupe un coin de la pièce, un bloc de papier à lettres et une plume, puis tend les deux objets au président.

— Écrivez.

— Comment ? Que voulez-vous que j'écrive ?

— Ceci : « Je soussigné, Moscatel, démissionne de mon poste de président du Panorama. » Vous datez et signez.

Moscatel se met à rire.

— Vous plaisantez ?

— Pas plus que vous quand vous parlez de me faire fusiller. Pourquoi croyez-vous que je sois ici ? Pourquoi suis-je venue volontairement dans cette villa, en sachant bien qu'on allait m'arrêter immédiatement ? Vous me prenez donc pour une folle ? Si j'ai couru le risque de venir vous trouver, c'est tout simplement parce que je suis la plus forte. Écrivez et signez !

Moscatel écrase son cigare dans un cendrier et s'écrie :

— La plus forte ! Qu'est-ce que cela veut dire ? Pourquoi auriez-vous plus de force que moi ?

— Parce que j'ai fait évader le prince que

votre complice Olivo tenait enfermé dans la Cueva de la Aguila. Parce que le même prince est maintenant dans un endroit sûr. Parce que dans une heure il se montrera en public, et dénoncera votre forfaiture. Tout le monde saura que vous avez fait croire à sa mort pour vous assurer le pouvoir. Dans une heure, mon cher Moscatel, vous ne pourrez plus sortir d'ici sans risquer d'être lynché par la foule !

Le président se lève, soudain très pâle. Il murmure, effaré :

— Comment ? Comment ? Le prince s'est évadé... Mais... la police veillait sur lui... Les hommes d'Olivo...

— Ils l'ont laissé filer, mon cher Moscatel. Quant à votre Pedro Olivo, il doit être actuellement en plein désert, en train de se demander comment il va faire pour rentrer à Alcachofa.

Moscatel s'assoit de nouveau et se verse à boire. Des gouttes de sueur perlent sur ses tempes. Fantômette reprend :

— Allons ! Ne vous désolez pas. Je vous laisse dix minutes pour emballer vos petites affaires et quitter le pays. C'est largement suffisant...

Accablé, vaincu, le président prend le

papier que lui tend Fantômette et commence à rédiger sa lettre de démission.

Fantômette se tient debout, savourant avec délices la magnifique victoire qu'elle vient de remporter. Une fois de plus, elle a accompli son œuvre de justicière ! Elle a fait triompher la bonne cause…

C'est alors que le téléphone sonne.

Le président s'interrompt, lève la tête, prend l'écouteur. Pendant un moment, il reste silencieux, impassible. Puis un léger sourire se dessine sur ses lèvres.

— Vous êtes bien sûr que c'est lui ? Oui ? Parfait, ne le lâchez pas ! Je vais vous envoyer du monde.

Il raccroche, croise les jambes, allume un autre cigare. Fantômette a brusquement le sentiment qu'une catastrophe vient de se produire. La soudaine assurance de Moscatel annonce un retournement de la situation. Il achève son verre, lance une bouffée au visage de Fantômette et dit avec un petit rire :

— C'est raté, ma chère. Votre plan a échoué. Le prince Norberto se trouve en ce moment à l'auberge de *La Cabra Negra*, chez don Pacheco.

— Mes compliments ! fait Fantômette avec sang-froid. Et peut-on savoir comment…

— Comment je le sais ? C'est bien simple. Don Pacheco lui-même vient de me l'annoncer. C'est un de mes amis.

Fantômette frissonne. Le grand maréchal s'est trompé en croyant que Pacheco était un homme sûr. L'aubergiste jouait le double jeu !

Moscatel se lève, se frotte les mains et s'écrie avec une sinistre ironie :

— Je vous confirme donc la bonne nouvelle : vous serez fusillée à l'aube !

chapitre 12

Tequila

Poussiéreux, fatigué et penaud, Pedro Olivo entre dans le salon du président en essuyant son front.

Moscatel le considère d'un œil ironique et demande avec une feinte jovialité :

— Alors, mon cher, vous m'apportez de bonnes nouvelles ?

— Hum !... Pas spécialement, monsieur le président.

— Vraiment ? Voudriez-vous dire, par hasard, que le prince s'est évadé, et que vous ne savez plus où il se trouve ?

Olivo soupire.

— Hélas ! oui, c'est justement ce qui vient de se produire.

— Diable ! Diable comme c'est ennuyeux…

— Heu… oui.

— Ennuyeux surtout pour vous. Car j'ai bien envie de vous enlever ce poste de chef de la police, pour incapacité. Mais dites-moi, vous avez l'air assez poussiéreux…

— Mon hélicoptère est tombé en panne dans le désert. Par chance, un de mes hommes qui patrouillait en moto a pu me ramener. Ah ! tout ça, c'est la faute de Fantômette !

— Vraiment ?

— Oui, monsieur le président. C'est elle qui a fait évader le prince.

— J'espère que vous l'avez arrêtée ?

— Non… non… pas encore…

— Pas encore ? Décidément, mon cher, c'est de plus en plus ennuyeux pour vous. Je crois que ce n'est pas Fantômette, mais vous qui méritez d'être fusillé. Enfin ! Heureusement que je suis là pour faire le travail à votre place.

Il allume un nouveau cigare, pose un poing sur la hanche et dit sèchement :

— Apprenez que Fantômette est en ce moment sous les verrous. Grâce à moi.

— Oh !

— Parfaitement ! Quant au prince Norberto, vous le trouverez chez don Pacheco, à l'auberge de *La Cabra Negra*.

Ahuri, le chef de la police ouvre des yeux ronds.

— Mais… comment le savez-vous ?

— Peu importe. Mettons que je sois très intelligent. Il le faut, quand on occupe des fonctions importantes comme les miennes. Et j'aimerais que vous ayez une parcelle de cette intelligence. Pour l'instant, tâchez de réparer vos erreurs en arrêtant tout de suite le prince. Que ce soit fait rapidement et discrètement. Allez. Et prévenez-moi dès que tout sera terminé.

— À vos ordres, monsieur le président !

Olivo salue et part au pas gymnastique. Moscatel hausse les épaules et murmure :

— Je me débarrasserai de cet imbécile à la première occasion…

Olivo entre dans les locaux de la préfecture, se plante devant un groupe de policiers qui jouent aux cartes et hurle :

— Trois hommes avec moi, plus un chauffeur et un camion ! Et plus vite que ça !

Le chef de la police paraît si furieux que ses subordonnés obéissent instantanément.

En moins de deux minutes, le camion se trouve prêt au départ.

— Nous allons dans le quartier du marché, à l'auberge de *La Cabra Negra*.

Le lourd véhicule se met en route. À côté du chauffeur, Pedro Olivo tapote nerveusement l'étui de son pistolet. Va-t-il réussir, cette fois ? Oui, toutes les chances sont de son côté. Il va capturer de nouveau le prince, et le supprimer. De la sorte, il en sera débarrassé définitivement. C'est ainsi qu'il aurait dû agir dès le début. Mais le président a hésité. Il voulait simplement faire croire qu'on avait tué le jeune garçon.

— Absurde ! En épargnant la vie de ce jeune nigaud, il n'a fait que créer toutes sortes de complications !

Ayant tracé ainsi les grandes lignes de sa conduite, Olivo se sent l'esprit plus calme. Et c'est avec une parfaite assurance qu'il donne l'ordre à son chauffeur de stopper le camion à la porte de *La Cabra Negra*. Les trois policiers qui se trouvent à l'arrière descendent et suivent leur chef à l'intérieur de l'auberge.

Le soir tombe. De longues traînées rouges sillonnent le ciel mauve. Après cette chaude journée, l'air se rafraîchit agréablement.

Les promeneurs commencent à envahir les trottoirs, où ils vont déambuler jusqu'à une heure avancée de la nuit.

Au bout de la place du marché, un cheval apparaît, monté par une jeune fille brune, coiffée d'un large chapeau. Elle met pied à terre, jette un rapide coup d'œil sur le camion, entre dans une épicerie, en ressort les bras chargés de bouteilles. Puis elle s'approche du chauffeur, lui tend une des bouteilles.

— Un cadeau du président Moscatel. Celle-ci est pour vous. Je mets les autres à l'intérieur, pour vos camarades.

— Merci, ma petite ! dit le chauffeur.

Il enlève le bouchon, porte le goulot à sa bouche et boit d'un trait la moitié du contenu. C'est de la tequila de première qualité.

Cinq minutes plus tard, les trois policiers et Pedro sortent de l'auberge, poussant devant eux le prince et le grand maréchal. Ils les font monter dans le camion qui démarre aussitôt.

Olivo se frotte les mains.

— Quelle belle prise ! Oui, vraiment, quelle prise magnifique ! Le prince, dont je vais me débarrasser, et cette grande vieille baderne de maréchal qui sera inculpé de haute trahison et fusillé ! Bonne journée…

133

Il allume un petit cigare et ordonne au chauffeur :

— Sortons de la ville. Conduis-nous vers les carrières. C'est un endroit désert où nous serons très à l'aise pour régler cette affaire.

Le camion traverse Alcachofa, suivi à cent mètres de distance par une cavalière brune. Il atteint les faubourgs, prend la direction des carrières. Le conducteur allume les phares, puis se met à chantonner. Au bout de quelques minutes, le camion oblique sur le côté gauche de la route, fait une embardée, ralentit, repart et s'arrête net. Olivo regarde le chauffeur avec surprise.

— Ah ! par exemple ! Mais que t'arrive-t-il, Pablo ? Tu n'es plus capable de conduire droit ?

Le chauffeur bredouille :

— Ben… si, chef… Je conduis… droit. Mais c'est la route qui fait des zigzags…

Olivo allume l'éclairage intérieur de la cabine et dévisage son conducteur.

— Ma parole ! Il est ivre ! Complètement ivre !

— Te… tequila, murmure le chauffeur en s'effondrant sur son volant.

Olivo serre les poings.

— Bravo ! Mes compliments ! Eh bien,

puisque tu es incapable de nous mener plus loin, terminons l'affaire ici même !

Il sort du camion, se rend à l'arrière et interpelle ses hommes.

— Tout le monde dehors ! Allez, descendez !

En guise de réponse, un chœur se met à entonner, avec des voix horriblement fausses, un air populaire panoramien :

— « Olé ! J'ai bu ! Olé, je suis gai ! »

Olivo manque de s'étrangler de rage.

— Eux aussi, ils sont ivres ! C'est incroyable !

Tant bien que mal, il réussit à faire descendre ses hommes, ainsi que le prince et le grand maréchal. À la lueur des phares, il fait aligner les policiers devant les deux prisonniers, leur donne l'ordre de pointer leurs fusils et de tirer.

Peine perdue. Les policiers brandissent leurs casquettes, chantent de plus en plus faux et réclament de la tequila. Cette scène grotesque est interrompue par l'arrivée d'une cavalière qui pointe une mitraillette sur le chef de la police en criant :

— Haut les mains, Olivo ! La plaisanterie est terminée.

Elle prend un rouleau de corde accroché à sa selle, le lance au prince.

— Norberto, ficelez-moi ce triste individu. Nous allons le ramener en ville.

Le prince et le grand maréchal, qui s'attendaient à être fusillés l'instant d'avant, ont quelque peine à se rendre compte que Fantômette est maîtresse de la situation. Puis, soudainement, ils comprennent que le cauchemar prend fin. Ils désarment Olivo et le ligotent soigneusement. Abandonnant les policiers à leur crise d'alcoolisme, une étrange caravane se met en route vers la capitale. En tête marche le cheval monté par Fantômette et Norberto, suivi du chef de la police tenu en laisse au bout d'une corde. Puis vient le camion que conduit le grand maréchal, rayonnant de joie.

Ce curieux équipage arrive en pleine ville vers dix heures du soir, c'est-à-dire au moment où l'animation nocturne est à son comble. Des centaines, des milliers de Panoramiens se groupent subitement pour faire une ovation prodigieuse à leur prince qu'ils croyaient mort. En un instant, la ville tout entière est au courant de l'événement. Il y a un attroupement monstre autour du palais royal, un attroupement encore jamais vu. La nouvelle circule à la vitesse de l'éclair : le prince est vivant ! Non seulement Fantômette ne l'a pas assassiné, mais encore elle vient de le sauver des griffes de l'infâme Olivo, traître à la solde du président Moscatel !

Lequel président, dès qu'il a connaissance de son échec, s'empresse de prendre la fuite…

Vers minuit, une foule énorme envahit le terre-plein situé devant le palais royal. La foule scande : « Norberto ! Norberto ! » Le prince apparaît au balcon, entouré de Fantômette et du grand maréchal. Il est l'objet d'une ovation immense qui continue bien après qu'il a disparu. Les Panoramiens en liesse veulent prolonger le délire dans lequel les plonge la bonne nouvelle, et des bals improvisés se forment à chaque carrefour.

Cette nuit-là, on boit beaucoup de tequila à Alcachofa !

chapitre 13

Un nouveau complot ?

— Racontez à moi votre arrestation et votre évasion, Flore, racontez !

— C'est bien simple. Une voiture cellulaire m'a emmenée dans la cour de la prison. Le portail s'est refermé et on m'a fait descendre. Alors…

— Alors ?

— Tous les policiers qui m'entouraient se sont enfuis.

— Non !

— Mais si, Norberto. Enfuis comme des lapins, en me laissant seule.

— Oh ! Pourquoi ?

— Parce que je venais d'enlever mon chapeau.

— Et ça leur a fait peur ?

— Ce qui leur a fait peur, c'est la grenade que je tenais à la main. Je l'avais cachée sous la coiffe au moment où nous avions quitté la Cueva de la Aguila. Quand j'ai enlevé la goupille, ils ont cru que j'étais décidée à me faire sauter avec la grenade.

— Mais vous l'avez jetée ?

— Bien sûr. Je l'ai lancée contre le portail. L'explosion l'a démoli. J'ai ramassé la mitraillette qu'un garde avait lâchée, et j'ai faussé compagnie à ces messieurs. Dehors, il y avait des chevaux. J'en ai pris un, j'ai galopé jusqu'à l'auberge… et vous savez le reste.

L'admiration se lit dans les yeux du prince. Il s'écrie :

— Flore, vous êtes merveilleusement merveilleuse ! J'espère que vous allez rester longtemps ici…

Fantômette hoche la tête.

— Non, malheureusement. Mon avion décolle à onze heures, dans une heure. Je vais faire ma valise.

— Oh ! Pourquoi partez-vous si vite ?

— Vous n'avez pas écouté la radio, ce

matin ? Le Furet vient de s'évader encore une fois.

— Qui est-ce ?

— Un dangereux bandit. Chaque fois qu'il s'échappe de prison, il faut que je l'y remette.

Norberto soupire.

— Je vais m'ennuyer sans vous. Je pourrai vous écrire ?

— Bien sûr.

— Vous me renverrez mes lettres avec les corrections des fautes d'orthographe ?

— Entendu. Mais vous n'en faites pas beaucoup, des fautes.

— C'est vrai ? Ah ! que je extrêmement content suis !

Une heure plus tard, le quadriréacteur décolle de l'aéroport d'Alcachofa, avec à son bord une jeune fille brune qui emporte comme souvenir un énorme sombrero.

Dans la Rolls qui revient vers la ville, le prince demande au grand maréchal de la cour :

— Croyez-vous que nous reverrons Flore ?... Je veux dire, Fantômette ?

— C'est possible, prince, c'est possible. Mais en attendant, Votre Altesse doit s'occuper de rattraper le retard qu'elle a pris dans ses études. Deux leçons de calcul et une leçon de géographie ont sauté par la faute des événements. Il va falloir mettre les bouchées doubles, prince !

Norberto soupire de nouveau. Finies, les aventures ! Il va lui falloir se replonger dans un univers de devoirs et de leçons !

Toutefois, une idée lui vient à l'esprit, qu'il tourne un moment dans sa tête. Il demande au maréchal :

— Et si un nouveau complot se formait contre moi… si ma vie était encore en danger, appelleriez-vous Fantômette ?

— J'espère bien que la chose ne se reproduira pas !

— Moi aussi. Mais tout de même, si cela se produisait ?

— Alors, évidemment, je ferais revenir cette jeune fille qui me semble parfaite pour ce genre de choses.

Le prince ne dit plus rien. Il se laisse aller en arrière sur le confortable capitonnage et paraît somnoler. Mais au fond de ses yeux mi-clos brille une lueur malicieuse.

Déjà en librairie !

Retrouve les aventures de Fantômette dans :

Les exploits de Fantômette

*Fantômette et
le trésor du pharaon*

*Fantômette
et l'île de la sorcière*

Découvre bientôt une nouvelle aventure de la justicière masquée :
Les sept Fantômettes

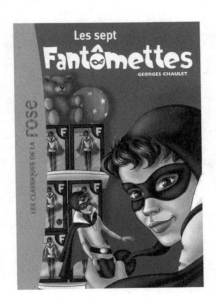

La manufacture de Framboisy a été visitée pendant la nuit ! Bizarre... aucun jouet n'a disparu. Que cherchait donc le mystérieux intrus ? « À cacher quelque chose dans l'usine... » songe Fantômette. La justicière n'a pas tort : dès le lendemain, deux individus suspects s'intéressent de très près à une poupée de la fabrique...
Et pas n'importe laquelle : une poupée Fantômette, qui ne va pas tarder à se multiplier par sept !

Et retrouve vite Fantômette dans les autres tomes de la série :

Connecte-toi vite sur le site de tes héros préférés :
www.bibliotheque-rose.com
• Tout sur ta série préférée
• De super concours tous les mois

Table

Composition JOUVE – 45770 Saran
N° 627157V
Imprimé en Roumanie par G. Canale & C. S.A
Dépôt légal : août 2011
20.20.2440.4/01 – ISBN 978-2-01-202440-3
Loi n° 49-956 du 16 juillet 1949
sur les publications destinées à la jeunesse.